A HISTÓRIA DO BRASIL
PARA QUEM TEM PRESSA

MARCOS COSTA

A HISTÓRIA DO BRASIL
PARA QUEM TEM PRESSA

valentina

Rio de Janeiro, 2025
11ª edição

Copyright © 2016 *by* Marcos Costa

CAPA
Sérgio Campante

DIAGRAMAÇÃO
Kátia Regina Silva | Babilonia Cultura Editorial

Impresso no Brasil
Printed in Brazil
2025

CIP-BRASIL. CATALOGAÇÃO NA PUBLICAÇÃO
SINDICATO NACIONAL DOS EDITORES DE LIVROS, RJ

C874h
11.ed.

Costa, Marcos
　　A história do Brasil para quem tem pressa / Marcos Costa. – 11. ed. – Rio de Janeiro: Valentina, 2025.
　　200p. : il. ; 21 cm.

Inclui índice
ISBN 978-85-5889-020-5

1. História do Brasil. I. Título

CDD: 981
16-35278
CDU: 94(81)

Todos os livros da Editora Valentina estão em conformidade com o novo Acordo Ortográfico da Língua Portuguesa.

Todos os direitos desta edição reservados à

EDITORA VALENTINA
Rua Santa Clara 50/1107 – Copacabana
Rio de Janeiro – 22041-012
Tel/Fax: (21) 3208-8777
www.editoravalentina.com.br

SUMÁRIO

INTRODUÇÃO   9

CAPÍTULO UM ● Os Antecedentes 1453-1534   11
O Mercantilismo   11   O Comércio entre o Ocidente e o Oriente   12   A Expansão Comercial e Marítima   13   Portugal e a Rota para o Oriente   14   A Tomada de Ceuta como Ponto de Partida   15   A Tomada de Constantinopla   17   D. João II   19   D. João II no Caminho do Paraíso   21   A Viagem de Colombo   23   A Viagem de Cabral   25   Expedições de Prospecção   27   Introdução de Gêneros Tropicais na Europa   29   1534: Capitanias Hereditárias   30

CAPÍTULO DOIS ● Período Colonial 1534-1822   33
Colônia de Exploração   33   1545: As Minas de Potosí   34   1549: O Governo-Geral   35   O Açúcar   37   Os Índios   39   Os Escravos   40   Filipe II da Espanha e D. Sebastião de Portugal: Os Donos do Mundo   41   Reforma e Contrarreforma   44   1580 - 1640: A União Ibérica   46   A Invasão Holandesa   47   O Brasil Holandês   48   As Bandeiras e as Monções   51   A Restauração Portuguesa   53   Os Portugueses Compram o Nordeste   54   O Segundo Milagre Brasileiro: O Ouro   56   A Inconfidência Mineira   57   O Terceiro Milagre Brasileiro: O Café   59   A Vinda da Família Real Portuguesa   60   Os Interesses Ingleses   61   A Revolução Pernambucana   63   O Brasil no Início do Século XIX   64   O Processo de Independência   65

6   A HISTÓRIA DO BRASIL PARA QUEM TEM PRESSA

CAPÍTULO TRÊS ● **Período Monárquico 1822-1889   68**
A Constituição de 1824   68   A Confederação do Equador   69
A Abdicação de D. Pedro I   70   A Ascensão da Oligarquia do
Café   72   O Período Regencial   73   O Segundo Reinado no Brasil:
D. Pedro II   75   O Barão de Mauá   77   A Lei Eusébio de
Queirós   78   Instituto Histórico e Geográfico Brasileiro (IHGB)   80
O Novo Mundo   81   A Guerra do Paraguai   82   A Princesa Isabel:
Herdeira Presuntiva do Trono   83   A Lei do Ventre Livre   84
O Censo de 1872   85   Ventos da Transformação   87   Nasce o
Movimento Republicano   88   Terceira Regência ou Terceiro
Reinado   89   13 de Maio de 1888   92   Um País Dividido ao
Meio   93   Uma Cronologia Sumária do Golpe   93   O 15 de
Novembro   94   Crônica de uma República Não Proclamada   96

CAPÍTULO QUATRO ● **Período Republicano 1889-2015   99**
O Governo Provisório   99   A Oligarquia Paulista no
Poder   100   A República do Café com Leite   102
A Primeira República   105   A Crise de 1929   107   A Crise
Política da Oligarquia Paulista   108   A Revolução de 1930 e a
Segunda República   109   A Aliança Nacional Libertadora   111
O Estado Novo   114   O Fim do Estado Novo e o Início do Período
Democrático 1945-1964   116   O Retorno e a Morte de Getúlio
Vargas   118   JK   121   João Goulart   125   O Golpe de 1964   129
O Brasil na Primeira Metade do Século XX   131   A Modernização
Conservadora   134   A Ditadura Militar   136   O Milagre
Econômico   140   O Período de Abertura Política   142
A Constituição de 1988   144   As Eleições de 1989   146
O Plano Collor   147   O *Impeachment*   149   Os Anos
1990   150   FHC e o Modelo Neoliberal   153   O Governo
Lula   156   O Brasil não Tem Povo?   159   A Luta de Todos
contra Todos   162   Os Donos do Poder   165   Polarizações
Perversas: de Volta ao Início   167

FONTES E REFERÊNCIAS BIBLIOGRÁFICAS PARA
SE COMPREENDER O BRASIL 171

NOTAS 183

ÍNDICE ONOMÁSTICO 187

INTRODUÇÃO

Millôr Fernandes tem uma frase que resume bem o quadro do Brasil atual; ele diz: "O Brasil tem um grande passado pela frente." É verdade. Toda vez que encontramos o caminho que poderia nos levar a um futuro auspicioso, os malditos fantasmas do nosso passado aparecem e colocam uma pedra enorme, quase intransponível, no meio do caminho. Quem são esses malditos fantasmas? Por que insistem em nos assombrar? Será possível, um dia, exorcizá-los para sempre? Essas são algumas das questões que *História do Brasil para Quem Tem Pressa* procura desvendar. O livro é um voo panorâmico pela história do Brasil, por meio do qual salta aos nossos olhos a perspectiva do todo, fundamental para a compreensão dos fatos isolados.

Para se compreender o Brasil, é preciso fazer uma viagem que começa em 1453, com a queda da cidade de Constantinopla, tomada de assalto pelo Império turco otomano. Sem esse acontecimento, talvez Colombo não tivesse chegado à América em 1492 e nem os portugueses ao Brasil em 1500.

A expansão marítima dos países europeus se origina de simples empresas comerciais. O Brasil, portanto, antes de ser uma nação, foi um conglomerado de feitorias, de empresas, muitas delas ligadas a poderosas *joint ventures* europeias. O parco governo que se teve por aqui tomava decisões inteiramente ao sabor das vontades e necessidades desses arrendatários. Durante 400 anos permanecemos assim, e esse início justifica nosso fim: elites econômicas determinando nosso projeto de nação.

Desse modo, segundo Raymundo Faoro, pode-se dizer que, da chegada de Cabral até Dilma Roussef, uma estrutura político-social resistiu a todas as transformações fundamentais: "A comunidade política conduz, comanda, supervisiona os negócios, como negócios privados seus, na origem, como negócios públicos, depois [...] Dessa realidade se projeta a forma de poder, institucionalizada num tipo de domínio: o patrimonialismo."

Esse imperativo categórico da sociedade brasileira, ou seja, *a inviolabilidade daquilo que foi assim desde sempre*, cria um elo profundo entre os que aqui chegaram em 1500 e os que aqui hoje estão. Os mesmos objetivos os animam: a espoliação, a expropriação, o lucro, a exploração. Esses fins justificam os meios utilizados, que passam sempre ao largo de um projeto de país, sempre ao largo dos interesses do povo.

Não existe no Brasil, nem nunca existiu, um projeto de nação. Um projeto robusto que levasse em conta o interesse de todos, planejado para durar gerações e que pairasse acima dos eventuais problemas políticos. Como o que ocorreu no Japão, arrasado na Segunda Guerra Mundial. O Brasil só vai se encontrar com o seu futuro quando um pacto social em torno de um projeto de nação for estabelecido e jamais rompido. Conhecer a história do Brasil é o primeiro passo para que esse projeto seja estabelecido, consiga resistir a eventuais tempestades e siga seu rumo em direção ao estado de bem-estar social pelo qual tanto almejamos.

CAPÍTULO UM

OS ANTECEDENTES

1453 — 1534

O MERCANTILISMO

O comércio sempre foi uma prática do ser humano, mas, a partir de meados do século XV, percebe-se nitidamente uma mudança, o surgimento de um novo espírito subsidiado por uma nova prática: o mercantilismo.

O mercantilismo pode ser resumido na intensificação das relações comerciais na passagem da Idade Média para a Idade Moderna. Uma verdadeira revolução se compararmos à lógica que dominava o comércio até o final do século XIV.

Durante a Idade Média, influenciada pela filosofia de Santo Agostinho, que priorizava a cidade de Deus em detrimento da cidade dos homens, acumular riqueza e comercializar era visto como algo torpe. O destino das pessoas era obedecer a Deus e expiar os pecados cometidos na

Terra. Com a inevitável intensificação do comércio entre, sobretudo, o Oriente e o Ocidente, essa filosofia vai sendo fortemente contestada. A relação entre reis e catolicismo será substituída cada vez mais pela relação entre reis e comércio. Segundo Giovanni Arrighi, economista político, esses dois polos se unem visando a dois objetivos comuns: a conquista de territórios e a prospecção de novos mercados, ou seja, poder e riqueza.[1]

O Comércio entre o Ocidente e o Oriente

As principais cidades no Ocidente que dominavam o comércio dos produtos do Oriente eram Veneza, Gênova e Florença. No Oriente, a principal cidade, assim como principal porto, era Constantinopla (atual Istambul, na Turquia). Podemos agregar também as cidades de Trípoli, na Líbia, e Alexandria, no Egito.

Os cobiçados produtos do Oriente chegavam até esses portos por rotas terrestres. Dali, os comerciantes italianos, que monopolizavam esse comércio, distribuíam-nos para toda a Europa. No entanto, as relações entre o Ocidente cristão e o Oriente Médio muçulmano nunca foram amenas. Durante a Idade Média, as Cruzadas (entre os anos 1100 e 1300) trataram de polarizar cada vez mais as relações entre esses dois povos e essas duas religiões.

Para acessar as riquezas da Índia e do Oriente, os comerciantes europeus necessitavam manter relações — as mais diplomáticas possíveis — com esses povos, que eram seus grandes fornecedores. Qualquer ruptura significaria ruína total. Esse era o fio da navalha, no qual o grosso do comércio europeu se assentava.

A Expansão Comercial e Marítima

O avanço do Império Otomano colocava em xeque o comércio entre o Ocidente e o Oriente. A sensação de instabilidade era generalizada. Desde meados do século XV, vários pensadores, cosmógrafos, geógrafos eram generosamente financiados por reis e comerciantes para descobrir outras formas de chegar às Índias e se livrar de vez da dependência dos atravessadores nos portos do Oriente.

Falou-se, ao longo de toda a Idade Média, em duas rotas alternativas: uma que mandava navegar no sentido oeste pelo oceano Atlântico, e outra que mandava navegar ao sul, costeando o continente africano, onde havia uma passagem para o Oriente. À medida que, de um lado, o medo avançava em relação ao Império Otomano, de outro crescia a coragem de sair em busca de tais alternativas. É nesse contexto que os portugueses decidem agir. Portugal e seu principal porto, Lisboa, eram personagens secundários no cenário da economia do Mediterrâneo. Serviam apenas de entreposto entre as cidades italianas e a Inglaterra e o Norte da Europa.

Com o início da dinastia de Avis, D. João I (1358-1433) decide que Portugal deverá assumir certo protagonismo no comércio europeu; para tanto, inicia sua caminhada com a tomada de Ceuta — outro importante porto do Mediterrâneo, localizado no Marrocos —, em 1415.

Portugal e a Rota para o Oriente

Com o sucesso de Ceuta, Portugal decide alçar voos mais altos. Em 1418, o Infante D. Pedro, filho mais jovem de D. João I, é escolhido para fazer uma longa viagem — que duraria 10 anos — em busca de notícias, conhecimentos científicos, mapas, relatos e tudo o mais que pudesse auxiliar Portugal na sua grande ambição: acessar, sem intermediários, as riquezas das Índias e se tornar protagonista em matéria de negócios.

É pretensão do Ocidente imaginar que a história começa no século XV com o Renascimento, a Reforma Protestante e a Revolução Científica. Isso talvez seja verdadeiro para o mundo ocidental, mas a história da sociedade é muito mais complexa que o Ocidente, e outras civilizações desenvolveram igualmente religiões, conhecimentos científicos, projetos sociais etc. Basta pensarmos, por exemplo, na Biblioteca de Alexandria, no Egito — que possuía 700 mil volumes em livros —, e em cujo complexo havia um jardim botânico, um jardim zoológico e um observatório astronômico. Inaugurada no século II a.C., por ela circularam nomes como Arquimedes, Euclides e Ptolomeu. Havia séculos, os povos antigos — chineses, fenícios, entre outros — conheciam não somente técnicas avançadas de navegação, como navegavam por mares e terras que, para o Ocidente, ainda eram completamente desconhecidos. É plausível que conhecessem a ligação entre os oceanos Índico e Atlântico, e igualmente plausível que tivessem até mesmo chegado ao Brasil e à América do Norte.

CAPÍTULO UM: OS ANTECEDENTES

Assim, surgiram duas notícias valiosas, obtidas pela expedição do Infante D. Pedro. A primeira era que havia um reino cristão incrustado no Oriente, e esse reino poderia servir de ponto de apoio para uma incursão de Portugal — tratava-se do reino do Preste João. A segunda era que os turcos estavam em franco processo de expansão do Império Otomano e que, mais dia, menos dia, as cobiçadíssimas rotas das especiarias do Oriente e a Rota da Seda da China seriam bloqueadas. Quando isso ocorresse, quem tivesse um plano B — outra rota para acessar o Oriente, por exemplo — ou melhores relações com os turcos otomanos certamente tomaria conta daquela generosa fatia do bolo.

A Tomada de Ceuta como Ponto de Partida

Eufórico com o sucesso em Ceuta e com o Infante D. Pedro prospectando informações pelos continentes africano e asiático, Portugal segue no seu processo de expansão comercial e marítima por caminhos completamente inusitados e até desprezados. As terras ao sul do Atlântico eram imprestáveis para o comércio. Contrariando esse senso comum, em 1419, no reinado do Infante D. Henrique, o arquipélago, que tem na Madeira e nos Açores as suas principais ilhas, foi descoberto por João Gonçalves Zarco e Tristão Vaz Teixeira.

Em 1434, Gil Eanes e Afonso Gonçalves Baldaia avançam para além do cabo Bojador, que era o limite até onde se havia navegado em direção ao Atlântico

Sul. A partir dali, o cenário era tenebroso. Relatos medievais falavam em monstros aquáticos, sereias, precipícios, sumidouros... Gonçalves Baldaia, em 1435, enfrentou o desconhecido e tocou a costa ocidental da África. A partir desse contato inicial, uma nova era se abre para o parco comércio português. Em 1441, Antão Gonçalves inicia um tipo de transação que se tornará a menina dos olhos dos portugueses e objeto de intensa disputa comercial: o negócio com escravos. Além dessas mercadorias, outras afluem para Lisboa: ouro em pó, marfim e pimenta-malagueta. Um novo produto estava começando a ganhar terreno no aguçado paladar da nobreza europeia: o açúcar. Portugal será pioneiro na sua produção, que demandava, no entanto, dois aspectos que lhe eram escassos: gente para trabalhar e terras. Esses problemas serão sanados com a anexação das ilhas. Nessas ilhas — Madeira e Açores —, Portugal implantará um sistema de produção de açúcar com base em três princípios novos para os padrões europeus: a monocultura, o latifúndio e o trabalho escravo.

Os portugueses ainda não sabiam, evidentemente — não se pode prever o futuro —, mas haviam acabado de criar, nesses anos de prospecção de novos mercados, dois padrões que se tornariam normas para o comércio mundial nos quatro séculos seguintes: primeiro, o comércio e o tráfico de escravos, e a produção e comercialização do açúcar; segundo, o pioneirismo na rota do Atlântico Sul, inicialmente entre a Europa, a África e o Oriente, mediante a transposição do cabo da

CAPÍTULO UM: OS ANTECEDENTES

Boa Esperança, e, em seguida, a extensão desse sistema para a América. Nada mal para quem era nota de rodapé da 20ª página do livro dos países mais importantes da Europa.

A Tomada de Constantinopla

Desprezados e até ridicularizados em suas iniciativas de expansão em direção ao Atlântico Sul, um giro até então impensável da roda da fortuna colocará os portugueses na vanguarda do comércio mundial. Quando os navios mercantes aportaram em Veneza, Gênova e Florença, naquele mês de abril de 1453, traziam para os comerciantes e para os reis uma notícia aterradora: o mar calmo do Mediterrâneo havia sido sacudido por um vendaval, um maremoto, um tsunami. As principais rotas das especiarias (canela, gengibre, cravo, pimenta e açafrão) e da seda da China haviam sido bloqueadas com a queda de Constantinopla. A notícia era de que, a partir daquele momento, os preços subiriam de forma estratosférica. A sensação de uma crise iminente se abateu sobre os portos que tinham o monopólio dessas rotas e produtos, e comercializavam com toda a Europa as riquezas do Oriente.

É aqui que a até então desprezada expansão marítima portuguesa ganha grandioso sentido. Segundo Arrighi, no século XV, sobretudo depois da tomada e queda de Constantinopla, "os governantes territorialistas ibéricos e os banqueiros mercantis capitalistas uniram-se pela simples razão de que cada um dos lados era capaz de fornecer ao outro

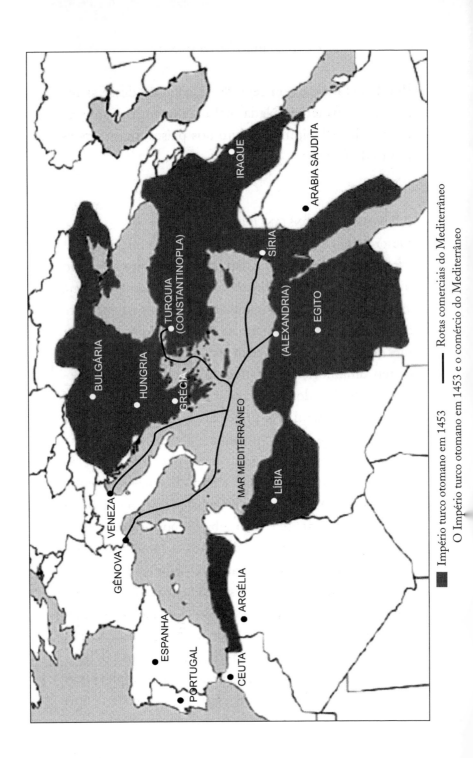

CAPÍTULO UM: OS ANTECEDENTES

aquilo de que ele mais precisava; e o relacionamento durou porque essa relação de complementaridade foi continuamente reproduzida pela exitosa especialização dos dois lados em suas respectivas atividades. Aquilo de que a classe capitalista mais precisava no século XV era uma ampliação de seu espaço comercial, que fosse suficiente para acolher seu imenso excedente de capital e recursos humanos, e para manter vivas suas extensas redes comerciais".[2]

Com a crise derivada da tomada de Constantinopla, capitalistas judeus sediados em Gênova, Florença e Veneza intensificaram o financiamento às explorações portuguesas. Segundo Arrighi, "à medida que essa associação se formou e que os chamados grandes descobrimentos a consolidaram, o capitalismo foi finalmente liberto de sua longa crise e disparou rumo a seu momento de maior expansão".[3]

D. João II

Quando assume o trono de Portugal em 1481, a sanha de D. João II em seguir as conquistas pelo continente africano e em buscar um caminho para o Oriente faz com que tome atitudes drásticas. A primeira é a conexão imediata com os proprietários das grandes empresas comerciais e dos bancos que financiavam as grandes e custosas viagens — todos de propriedade de judeus. Essa atitude custaria a ele o rompimento com a nobreza portuguesa, que se sentia preterida em relação aos comerciantes, e também com a Igreja, que havia tempo vinha condenando o consórcio entre reis e comerciantes judeus. Para seguir o seu périplo em direção ao

Oriente, por exemplo, D. João II assassina a punhaladas o próprio primo Diogo, Duque de Viseu. Em 1513, quando Maquiavel escreveu *O príncipe*, o pragmatismo de D. João II foi, certamente, uma de suas inspirações.

Eliminados os entraves iniciais, D. João II convoca, em 1487, dois dos seus melhores quadros para uma missão secreta de espionagem: Pêro da Covilhã e Bartolomeu Dias. O objetivo expresso era não voltar para Portugal sem o mapa da mina: o caminho para as Índias. Pêro da Covilhã por terra e Bartolomeu Dias por mar. De porto em porto — Calecute, Cananor, Goa, Hormuz, Suaquém e Sofala, sempre navegando pela costa oriental da África e pelo Oriente Médio, Covilhã procurava confirmar as impressões de astrônomos e cartógrafos de Lisboa sobre as rotas comerciais no Oriente. De tanto burilar, descobriu com marinheiros que havia, sim, uma passagem ligando o oceano Índico ao Atlântico, bem como a informação de que a rota para se chegar às Índias, navegando para o oeste no Atlântico, era impraticável. Era o Santo Graal, a Arca da Aliança. Por essa informação, matava-se, morria-se e, sobretudo, ganhava-se muito dinheiro. Qualquer mercador ou banqueiro europeu daria uma verdadeira fortuna para quem conseguisse a proeza de descobrir tal passagem.

Essa intercomunicabilidade entre os oceanos Índico e Atlântico foi descoberta em 1488 — por Bartolomeu Dias —, por meio de informações coletadas entre os comerciantes nos portos do Oriente. A informação mais

CAPÍTULO UM: OS ANTECEDENTES

preciosa que se poderia ter naquele momento. A descoberta ou a confirmação da possibilidade do caminho para as Índias, mediante a transposição do cabo da Boa Esperança, foi o fato revestido de maior sentido de toda a história das navegações. Esse segredo deveria ser guardado a sete chaves. Quem detivesse tal informação, tal *savoir-faire*, tal conhecimento processual seria, certamente, senhor do mundo. Era como se, nos dias de hoje, alguém descobrisse a fórmula da Coca-Cola.

D. João II no Caminho do Paraíso

Em 1488, oficialmente, Bartolomeu Dias dobrou o cabo da Boa Esperança, e teria sido o primeiro a descobrir, para todos os efeitos, a ligação entre os oceanos Atlântico e Índico. Bartolomeu Dias partiu para sua viagem exploratória um ano depois do início da viagem de exploração e espionagem de Pêro da Covilhã. Esse não foi, certamente, um acaso. A viagem de Bartolomeu Dias não foi um tiro no escuro, pois, obviamente, já partira munido de informações privilegiadas sobre a ligação entre os oceanos e a possibilidade de acessar o Oriente, navegando pela costa ocidental da África.

A viagem, elaborada em sigilo absoluto pelo Rei D. João II, era de reconhecimento, verificação e constatação. O resultado não poderia ter sido mais promissor. As informações enviadas por Covilhã estavam exatas. O alto investimento aplicado na viagem havia sido, enfim, recompensado pela prospecção de Bartolomeu Dias.

Confirmado o caminho alternativo para o Oriente, restava agora o trabalho em três grandes frentes.

A primeira delas, estabelecer contato com o reinado do Preste João e firmar com ele uma parceria. Como vimos, essa foi exatamente a ordem enviada por D. João II a Covilhã no Cairo — levada pelos informantes judeus —, ou seja, descoberta a informação mais importante (a da existência da ligação entre os oceanos), partir em busca de parceria e de consórcio com Preste João. Ter um parceiro cristão — que conhecia todos os tratos do Oriente — era fundamental para fincar os dentes nas veias abertas de um Oriente tomado por infiéis mouros.

A segunda frente era programar uma grande expedição de reconhecimento, que, na longa duração, teria como objetivo atracar no porto de Sofala, estabelecer contato com os fornecedores e iniciar um trato comercial. A expedição zarparia de Portugal cinco anos depois da expedição de Bartolomeu Dias e seria comandada por Vasco da Gama. Certamente, entre a viagem de Bartolomeu Dias e a de Vasco da Gama, muitas outras expedições secretas ocorreram a fim de ir marcando o território e abrindo caminho.

A terceira frente de trabalho era a de inteligência, ou seja, posse de informações decisivas e importantes para os rumos do comércio mundial. O grande desafio de D. João II era manter o sigilo sobre tais informações, sobre a fórmula mágica que descobrira. O *fiat lux*, o abre-te, Sésamo. O principal objetivo: despistar a concorrência, sobretudo da Espanha, se possível, até mesmo induzindo-a a erro, com informações falsas, desencontradas, plantadas propositalmente com o intuito de confundir. Certamente, D. João II lançou mão deste artifício — a contraespionagem — para salvaguardar seu valiosíssimo segredo.

É aqui que a vida e a viagem de Colombo para descobrir a América, em 1492, se tornam um verdadeiro enigma.

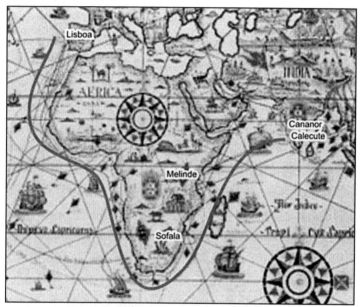

O Caminho da Índias. Planisfério de Cantino (1502)

A Viagem de Colombo
"Cristóbal Colón

Nós, D. João [...] vos enviamos muito saudar. [...] E quanto à vossa vinda cá, certo, assim pelo que apontais como por outros respeitos para que vossa indústria e bom engenho nos será necessário e prazer nos há muito de virdes porque o que a vós toca se dará tal forma de que vós deveis ser contente. [...] E por tanto vos rogamos e encomendamos que vossa vinda seja logo e para isso não tenhais pejo algum e vos agradeceremos e teremos muito em serviço. Avis, 20 de março de 1488. A Cristóbal Colón nosso especial amigo em Sevilha."

Essa carta de D. João II, enviada a Cristóvão Colombo, é um enigma. Com um histórico de assassinatos, traições, conspirações de todo tipo, D. João II era um homem cauteloso e gostava de andar bem informado. Infiltrava informantes e agentes por todo lugar, e não seria diferente na Espanha, sua maior concorrente no projeto de expansão comercial e marítima. Seria o tratamento dado a Colombo ("nosso especial amigo em Sevilha") um indício de que ele era mais um dos agentes de D. João II?

É notório que, antes mesmo de prestar serviços para a Espanha, Cristóvão Colombo havia, por quase uma década, tentado — a princípio em vão — oferecer seu projeto de navegação e de exploração em busca do caminho das Índias a D. João II. Em 1492, portanto, quando Colombo descobriu a América, estava a serviço de Castela. Bartolomeu Dias já havia, em 1488, constatado que o caminho para as Índias era navegando rumo ao sul, e não a oeste no oceano Atlântico. O fato de o projeto de Colombo ser o de navegar no sentido oeste no Atlântico não teria sido propositalmente com o intuito de desviar a atenção de Castela da rota para o sul?

CAPÍTULO UM: OS ANTECEDENTES

Esse projeto apresentado a Castela não teria sido previamente combinado entre Colombo e D. João II, com o propósito deliberado de desviar Castela do verdadeiro caminho das Índias? Se assim foi, porém, as promessas e as amostras de metais e pedras preciosas que Colombo havia trazido da viagem colocaram D. João II em alerta. Em uma terra em que o rei tinha informações de ser completamente árida do ponto de vista comercial, havia tesouros ainda mais valiosos do que as especiarias das Índias.

O recado de Colombo foi claro: era melhor D. João II não subestimar nada, pois o tiro de desviar os espanhóis da rota das Índias poderia sair pela culatra. Se estivesse vivo em 1545, quando os espanhóis conquistaram as minas de prata de Potosí, certamente D. João II teria se arrependido amargamente de não ter dado ouvidos aos conselhos do seu agente secreto.

A Viagem de Cabral

Com a morte de D. João II em 1495, o ímpeto agressivo da expansão portuguesa cairá da frigideira para a brasa, se tanto. Com o casamento de D. Manuel I e Isabel de Castela, a coisa toda declina vertiginosamente, e a aproximação com a Espanha e com a Igreja interromperá o projeto português. Mesmo porque, em sua maior parte, as navegações eram bancadas por comerciantes judeus, e uma das cláusulas do casamento entre Manuel I e Isabel era a expulsão dos judeus de Portugal. Da Espanha já haviam sido expulsos, em 1492, e de Portugal seriam em dezembro de 1496.

Embora mornas, as viagens para o Oriente e para as possessões portuguesas na África continuaram. Uma delas seria realizada por Pedro Álvares Cabral, que zarpou em 1500 de Lisboa e, antes de tomar o rumo do Oriente, descobriria, entre aspas, o Brasil em 22 de abril. Essa viagem estava programada, mesmo que de forma secundária, desde o exato momento em que Colombo retornara de sua expedição e, atracando em Portugal, dera notícias a D. João II de que havia, sim, como suspeitavam seus cosmógrafos e astrônomos, uma terra na rota do oeste. Do ponto de vista comercial, ela era imprestável, mas as perspectivas, as melhores possíveis.

É claro que, para quem havia acabado de fincar os dentes nas veias mais suculentas que se pudesse abocanhar no mercado internacional — o caminho para as Índias e para o Oriente —, o descobrimento do Brasil não passou de um acontecimento secundário. Desse modo, ao longo dos primeiros 50 anos, pode-se dizer que houve um certo abandono em relação à nova descoberta.

O descobrimento do Brasil, como vimos, aconteceu num momento de euforia em Portugal, com a descoberta quase concomitante do caminho para as Índias. Portugal, assim como a maioria dos países europeus, tais como França, Inglaterra e Países Baixos, estava em busca, de um lado, de produtos para serem comercializados, e, de outro, de mercados consumidores.

No Brasil, ao contrário do cenário encontrado no Oriente, onde vicejavam uma civilização e um comércio intenso, os portugueses só encontraram índios que viviam

CAPÍTULO UM: OS ANTECEDENTES

em estado de natureza. Praticamente nada produziam, nada vendiam, nada compravam. Para o comércio, a terra era, portanto, imprestável.

A princípio, uma decepção enorme. Assim como havia sido, oito anos atrás, a chegada de Colombo à América. Nos primeiros contatos entre portugueses e naturais da terra, percebeu-se que a viagem não havia sido de todo perdida. Um pau que vertia uma tinta vermelha, muito parecida com o que produzia certo corante vindo da Índia, foi a única possibilidade de negócio que, de imediato, conseguiu prospectar o treinado faro dos portugueses para negócios. Num contato subsequente, dentro do navio em que se encontrava Pedro Álvares Cabral, com um natural da terra, no qual foram trocados vários presentes, este tocou o longo colar de ouro do comandante em sinal de que aquele material não lhe era estranho. Questionado, fez sinais apontando para o colar e para o continente, como se quisesse dizer que na terra se poderia encontrar ouro.

Para a esmeralda, o diamante e tudo o mais que lhe mostraram em matéria de pedras e metais preciosos, ele sinalizou que havia na terra. Aquele indígena, sem pronunciar uma palavra sequer em português, começava a falar a linguagem daqueles homens e a selar o destino de sua terra.

EXPEDIÇÕES DE PROSPECÇÃO

Numa das primeiras viagens à América e ao Brasil, Américo Vespúcio resumiu friamente o que encontrou:

"Pode-se dizer que não encontramos nada de proveito." Ao longo dos primeiros 30 anos, foram inúmeras as viagens de reconhecimento do território brasileiro. Durante essas viagens, muitos marinheiros desertaram ou eram propositalmente deixados entre os naturais da terra para se familiarizar com a língua e colher informações. Muitos desses homens se tornaram — assim como Covilhã no reinado de Preste João — de extrema importância para Portugal na sondagem do território. Destacaram-se os nomes de, pelo menos, três deles: o Bacharel, o Caramuru e João Ramalho, todos eles, provavelmente, vindos na primeira expedição de Cabral, ou até antes, em expedições secretas, no período de D. João II.

Nos contatos com os naturais da terra, esses homens se imiscuíram no cotidiano da vida na colônia e foram descobrindo seus segredos e mistérios. Falava-se no Rei Branco e em uma montanha de prata em que abundavam ouro, prata e pedras preciosas. Na Europa, essas histórias contaminavam corações e mentes. Navegantes portugueses, espanhóis e franceses se arriscavam em contatos nem sempre amistosos com os selvagens, em diversas regiões, em busca dessas possibilidades. Como os exemplos do bispo Pero Fernandes Sardinha que, em 1556, foi devorado pelos índios Caetés depois de um naufrágio, e Hans Staden, que foi salvo por piratas franceses quando já estava indo para a brasa em 1549. Em nenhum momento, passou na cabeça desses homens que abordaram o território americano a ideia de povoamento — era exclusivamente o comércio que lhes interessava.

CAPÍTULO UM: OS ANTECEDENTES

INTRODUÇÃO DE GÊNEROS TROPICAIS NA EUROPA

Como se pode notar, é impossível entender o Brasil sem compreender o contexto do seu descobrimento.

Portugueses e outros povos estavam em busca de mercados consumidores ou fornecedores de qualquer coisa que pudesse se transformar em lucros. Nesse ponto, a região do Oriente Médio, a Índia e a China estava anos-luz à frente da civilização que Portugal encontrou no Brasil.

Caio Prado Júnior, no livro *Formação do Brasil contemporâneo*, analisa do seguinte modo o teor aventureiro da colonização portuguesa na América: "A América com que toparam não foi para eles, a princípio, senão um obstáculo oposto à realização de seus planos e que devia ser contornado."[4]

Devido às parcas possibilidades de comércio, Portugal abandona completamente o Brasil e, para não perder as terras que futuramente poderiam ser úteis, resolve arrendá-las em troca de parte da produção que os arrendatários pudessem auferir da terra. A princípio, não havia outro produto para negociar senão os extrativos.

O primeiro arrendatário foi o judeu Fernando de Noronha, que obteve do rei de Portugal uma concessão para explorar por três anos o pau-brasil. A introdução, também na Europa, de outros gêneros tropicais renderia altos dividendos aos concessionários. Fernando de Noronha era o representante de um consórcio que unia o banqueiro e comerciante alemão Jacob Fugger e o florentino igualmente comerciante e banqueiro Bartolomeu Marchionni. Em 1503, a dupla financiou uma das primeiras expedições de prospecção de negócios ao Brasil, comandada por Gonçalo Coelho. Em 1506, o próprio Fernando de Noronha fez sua expedição. A viagem de Noronha nessa data é particularmente interessante.

Em 1506, ocorre o *Pogrom* de Lisboa, conhecido também como Massacre de Lisboa, em que milhares de judeus foram perseguidos e exterminados. Noronha é judeu — filho de uma família conversa, dos chamados de cristãos novos ou marranos. O arrendamento das terras no Brasil é, certamente, uma tentativa de encontrar uma saída e uma alternativa para seu povo. Em 1511, a famosa nau *Bretoa* zarpou do Brasil com um carregamento milionário de pau-brasil.

1534: Capitanias Hereditárias

Segue-se a esse período inicial o regime das Capitanias Hereditárias, de 1534 a 1549, uma organização social puramente mercantil. Nesse período, apenas duas delas prosperaram: a de São Vicente, cujo donatário era Martim Afonso de Souza — que também em parceria com banqueiros judeus holandeses fundou o engenho São Jorge dos Erasmos, um dos primeiros do Brasil, cujas ruínas podem ser até hoje visitadas na cidade de Santos, São Paulo —, e a de Pernambuco, cujo donatário era Duarte Coelho Pereira.

A maioria dessas capitanias foi concedida a famílias judias oriundas das ilhas dos Açores e Madeira, onde a cultura da cana-de-açúcar estava a pleno vapor havia décadas.

CAPÍTULO UM: OS ANTECEDENTES

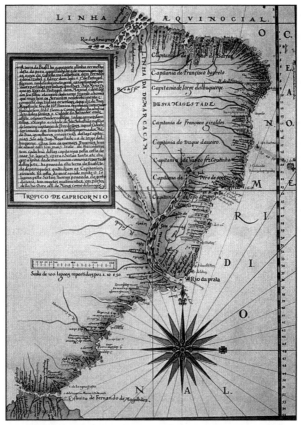

Mapa das Capitanias Hereditárias (Luiz Teixeira, 1574)

Ali, já havia sido desenvolvida toda a logística do negócio — plantação, engenho e comercialização. Para se abrir um engenho era preciso ter conhecimentos técnicos específicos, sobretudo em fundição de ferro. Banqueiros e comerciantes judeus financiavam todo o processo, desde a plantação da cana-de-açúcar até a implantação do engenho. Com isso, ficavam com o monopólio do transporte, refino e distribuição do produto na Europa.

Os portugueses forneciam as terras e, além de recolher impostos e tributos dos engenhos que estavam arrendados nas suas terras, ficavam também com o monopólio do fornecimento de mão de obra, ou seja, com a oferta de escravos adquiridos na África.

Não se pode falar em um processo de colonização. O que ocorreu nesse período até 1534 foi um processo de terceirização. Portugal terceirizou tudo. Ganhava bem menos do que poderia auferir, mas também economizava um esforço imenso. Em suma, "ocuparam apenas como agentes comerciais, funcionários dos reis e militares, o resto é contingência".[5]

Totalmente dispersas e separadas umas das outras, essas capitanias nunca chegaram a formar um conjunto, um todo. Eram, antes, um verdadeiro "arquipélago". Completamente independentes umas das outras, viviam cada uma à própria sorte.

CAPÍTULO DOIS

Período Colonial

1534 — 1822

Colônia de Exploração
No início do século XVI, não interessava a Portugal estabelecer uma colonização de povoamento nos trópicos, como ocorreu na América do Norte, para onde europeus fugidos dos conflitos político-religiosos da Europa iam a fim de trabalhar e construir uma nova vida. No Brasil, isso não aconteceu porque não se precisava de mão de obra, pois essa seria fornecida por negreiros, que já contavam com os fornecedores de escravos na África e dominavam a logística do negócio.

A questão de que o europeu não formou colônia de povoamento no Brasil porque não se adaptava ao clima tropical é uma meia verdade. Fato é que a América do Norte não tinha, do ponto de vista comercial, muito a oferecer à Europa, seu clima era bem parecido e produzia os mesmos produtos. Mas, pelo mesmo motivo — o clima —, a América do Norte atraiu quem estivesse em busca de imigrar. Era nas regiões de clima tropical que se encontravam produtos novos, diferentes, para se comercializar. O problema, portanto, de não haver se formado no Brasil — desde os primórdios da colonização — uma colônia de povoamento que nos legaria um outro tipo de sociedade foi única e exclusivamente o negócio precedente em Portugal: o comércio de escravos.

Portugal preferiu arrendar suas terras para grandes empresários, pensando no lucro imenso que auferiria da produção, mas sobretudo no lucro imenso que auferiria no fornecimento da mão de obra escrava, cuja demanda era intensa num sistema de produção extensivo. Claro que, nesse contexto, a vinda de colonizadores para mero povoamento estava proibida.

A imigração de trabalhadores para o Brasil ocorrerá, em maior escala, apenas no final do século XIX e início do XX. Até então, a mão de obra no Brasil era a escrava.

1545: As Minas de Potosí

Como podemos ver, em meados de 1500 o Brasil era ainda apenas uma promessa, enquanto as Índias, uma realidade extremamente lucrativa. Segundo Celso Furtado, a colonização do Brasil significava para Portugal "desviar recursos de empresas muito mais produtivas no Oriente".[6]

Por isso é que até 1545, fora o arrendamento inicial e o curto período das Capitanias Hereditárias, o Brasil

CAPÍTULO DOIS: PERÍODO COLONIAL   35

tinha permanecido relativamente abandonado. Portugal andava bastante ocupado com suas outras possessões ultramarinas para se interessar por uma terra comercialmente árida. O Brasil, de fato, só despertou o interesse de Portugal quando as idílicas histórias de tesouros se tornaram realidade. Isso ocorreu com o avanço da conquista espanhola na América sobre os impérios asteca (1519), maia (1524) e inca (1532). Somente quando, em 1545, a Espanha descobriu as minas de prata de Potosí é que Portugal resolveu levar a sério qualquer projeto de colonização do Brasil. Antes disso, por séculos, o tão cobiçado caminho para as Índias estava em primeiro plano.

1549: O GOVERNO-GERAL

O Governo-Geral será instituído em 1549 por Tomé de Souza, que no mesmo ano funda a cidade de Salvador, na Bahia. Nasceu, primeiro, da ruína do sistema de capitanias e, segundo, do fim das esperanças, alimentadas durante as primeiras décadas, de se ter a sorte — como teve a Espanha — de extrair riquezas minerais. Dissipadas as ilusões, o expediente adotado por Portugal foi simples e fulminante: diante do risco iminente de invasão francesa e holandesa, o único jeito de assegurar a posse das terras era por meio da expansão do modelo já experimentado, implantado nas ilhas.

A consequência imediata da instauração do Governo-Geral no Brasil é a institucionalização da produção de açúcar nos engenhos. Não só pelo malogro do sistema de capitanias, mas também por vários outros motivos, Portugal resolve assumir os negócios na Colônia. Os ataques estrangeiros foram apenas o primeiro deles. Segue-se a esse o início do declínio dos negócios no Oriente, que começaram a sofrer com a crescente concorrência da Inglaterra e da Holanda.

Esses dois países passaram a se imiscuir cada vez mais ostensivamente em dois negócios que até então eram monopólio absoluto de Portugal. Primeiro, o negócio da produção e comercialização do açúcar, que vinha ganhando crescente mercado na Europa, e, por fim, o mais lucrativo de todos: o tráfico e a venda de escravos. Pode-se dizer que o comércio de escravos se tornará o grande negócio de Portugal no Brasil, no período de 1500 a 1854, quando ocorre a abolição do tráfico.

Com esta medida — a criação do Governo-Geral —, completa-se a obra de incorporação e absorção de assuntos públicos da Colônia à autoridade real, por intermédio de seus agentes diretos. Outra faceta da intensificação da presença portuguesa na Colônia foi a vinda dos jesuítas — a Companhia de Jesus havia sido fundada em 1534 — para, por meio das Missões no Tape, no Guairá e no Itatim (atuais estados do Rio Grande do Sul, Paraná e Mato Grosso do Sul, respectivamente), avançar em direção às possessões espanholas, sobretudo para as regiões próximas das minas de Potosí. A colonização do Brasil começa, de fato, a partir desse momento, tendo como característica principal ser um vasto empreendimento comercial.

O Açúcar

Na escassez de metais preciosos (ou nobres) — ouro e prata —, a riqueza que o Brasil poderia ofertar era o açúcar. É em torno desse produto e dos engenhos de produção que o país vai surgindo, como bem esclareceu Gilberto Freyre, no livro *Casa-grande & senzala*.[7] Desde os primórdios da expansão marítima portuguesa, como vimos, a produção de cana-de-açúcar foi introduzida nas ilhas dos Açores e Madeira. Quando a necessidade de ocupar as terras do Brasil se tornou um imperativo, foram escolhidos os mesmos produto e modelo de produção implantado com sucesso nas ilhas portuguesas. Quando Portugal optou por estender ao Brasil o sistema de produção de açúcar (cujo protótipo havia sido desenvolvido na ilha da Madeira), associou-se — como havia feito ao longo de toda a história da expansão comercial e marítima — a poderosos grupos econômicos ligados a judeus sefarditas radicados em Amsterdã. Após o édito de expulsão dos judeus de Portugal (1496), muitos deles migraram para a Holanda, onde encontraram acolhimento. Sem esse capital, teria sido impossível a Portugal colonizar o Brasil nos moldes que colonizou — como uma empresa comercial.

Desse modo, os grandes engenhos que produziam açúcar no Brasil eram de judeus, no início da colonização: os de São Vicente, da Bahia e de Pernambuco. O esquema funcionava da seguinte forma: os latifúndios produziam a cana-de-açúcar com trabalho escravo — cujo monopólio na oferta da mão de obra, como vimos, era dos portugueses.

Os engenhos retiravam da cana o produto bruto (melaço), que era transportado para a Holanda, onde seria processado e vendido na Europa. A verdade é que o negócio do açúcar no Brasil não era português, mas comandado por aqueles judeus sefarditas portugueses então radicados na Holanda.

O negócio de Portugal era — como dono das terras — o monopólio da oferta do trabalho escravo e as taxas que recolhia da produção do açúcar nos engenhos do Brasil. Essa foi a forma astuta que Portugal arrumou de manter a posse da terra. Terceirizou a produção para a iniciativa privada, monopolizou o suprimento de mão de obra escrava e ainda, de quebra, abocanhava parte da produção e os tributos. Esse consórcio, essa concessão de suas terras, durará até a União Ibérica, em 1580.

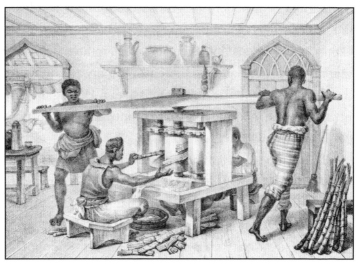

Engenho manual. Caldo de cana (Debret, 1822)

Os Índios

A partir do momento em que Portugal resolve expandir seus negócios para o Brasil, a relação entre adventícios e naturais da terra sofrerá uma guinada.

Embora os relatos referentes a tal relação retratem um encontro ameno, a verdade é que se tratou de um acontecimento único. Alteridade é a palavra mais adequada para descrever esse encontro entre duas formas de civilização diametralmente opostas e que se hostilizavam mutuamente a ponto de engendrar uma hecatombe. Primeiro, devido ao contato direto pela luta intensa travada entre eles, e depois, por meio das doenças transmitidas reciprocamente.

Enquanto as relações entre os dois elementos se resumiam ao escambo, os contatos eram pequenos e nada afetaram a unidade e a autonomia do sistema social tribal, mesmo porque os adventícios que viviam entre os naturais da terra se sujeitavam inteiramente aos desígnios da tribo, o que dava aos nativos a possibilidade de impor sua autoridade e seu modo de vida.

Ao substituir o escambo pela agricultura, os portugueses alteraram completamente seus centros de interesse no convívio com o indígena. Este passou a ser encarado como um obstáculo à posse da terra. Passamos, então, do período de tensões veladas para a era do conflito social com os índios. "Os índios resistiram ou foram dizimados pelo desconforto de uma vida avessa a seus hábitos."[8] Tais hostilidades recorrentes levaram os povos indígenas cada vez mais para o interior do continente.

A partir de 1570, proíbe-se a escravização de índios. A decisão tem um duplo sentido: primeiro, incentivar a importação de escravos (o grande negócio dos portugueses) e, segundo, desestimular as Entradas no sertão — onde se caçavam esses índios para escravizá-los — e, com isso, salvaguardar também as terras de qualquer tipo de prospecção de ouro, prata e pedras preciosas.

Os Escravos

Na questão da escravidão africana, revela-se mais uma engrenagem do sistema mercantil. O abastecimento da Colônia com escravos abria, para Portugal, um novo e importante setor do comércio colonial.

A partir do momento em que os portugueses ampliam seus negócios com escravos, a operação comercial do tráfico se organiza. Antes pouco recorrente, com o tempo a demanda dos europeus cria oportunidades de negócios entre as várias tribos africanas que passam a ser fornecedoras de escravos.

Nesse novo modelo de negócio, os europeus se livraram da necessidade de caçar os escravos com as próprias mãos e passaram a adquiri-los diretamente... dos mercadores africanos na Guiné, Costa da Mina, Congo, Angola, Luanda, Benguela, Cabinda, Moçambique, entre outros. Trocados, sobretudo, por bebidas alcoólicas, armas e fumo.

O uso do trabalho escravo no Brasil será generalizado. A princípio, nos engenhos de cana-de-açúcar, em especial

CAPÍTULO DOIS: PERÍODO COLONIAL 41

na Região Nordeste (Pernambuco e Bahia). No final do século XVII e início do XVIII, será a descoberta do ouro em Minas Gerais, Goiás e Mato Grosso que passará a demandar o trabalho escravo e, consequentemente, lançará lenha na fogueira do tráfico. Já no século XIX, o café substituirá o ouro na criação ou manutenção da demanda por escravos no interior de São Paulo e Rio de Janeiro.

Afora o trabalho rural, a agricultura e a mineração, funções que se dão longe das cidades e, portanto, dos olhos da população, as cidades têm também uma forte demanda pela mão de obra escrava. Nelas, os escravos trabalhavam tanto na área de serviços (carregadores e vendedores ambulantes), como nas atividades domésticas, a ponto de dizer-se que o negro era os pés e as mãos dos seus senhores. Tão arraigada era essa prática em nossa sociedade que, no final do século XIX, o Brasil ainda chocava o mundo por ser um dos últimos países a manter a escravidão.

Filipe II da Espanha e D. Sebastião de Portugal: Os Donos do Mundo

No dia 2 de janeiro de 1554, morre D. João II, o herdeiro do trono português, 15 dias antes do nascimento de seu filho, Sebastião. Três anos depois, em 11 de junho de 1557, morre o Rei D. João III, avô de Sebastião, tornando-se seu herdeiro e rei de Portugal uma criança de três anos de idade. Para Filipe II da Espanha, essa sucessão interessava muitíssimo. Ele era primo de D. Sebastião, e, caso o menino não pudesse assumir, eram grandes as chances de ele se tornar rei também de Portugal. Tornar-se rei de Portugal, para Filipe II, era unificar o negócio da prata, das especiarias do Oriente, do açúcar e dos escravos, e se tornar, assim, senhor do maior império da humanidade desde o Império Mongol de Gêngis Khan, por volta do ano 1222. Surge daí a conspiração para derrubar D. Sebastião e unificar a península Ibérica.

A oportunidade surge em 1578, quando Mulei Mohammed, que estava no governo do Marrocos e foi expulso pelo tio Al-Malik, procura Filipe II para fazer uma aliança e retomar o poder.

Mas Filipe II nega a ajuda. Mulei Mohammed segue, então, para Portugal em busca do apoio de D. Sebastião, que, aventureiro, topa a parada. Jovem e inexperiente, D. Sebastião parte em busca do apoio de Filipe II, que consente, apenas da boca para fora, em ajudá-lo.

Na Batalha de Alcácer-Quibir, em 1578, Filipe II se livra dos três personagens dessa conspiração que mais tarde poderia comprometer sua governança. Morrem na batalha Mulei Mohammed, Al-Malik e D. Sebastião. Filipe II não poderia ter sido mais pragmático. Nem Maquiavel teria imaginado um príncipe assim. Eliminados os três empecilhos, era hora de conquistar o mundo. Em meio ao torpor no qual Portugal estava imerso com a perda de D. Sebastião, o país seria uma presa fácil. Em 1580, Filipe II anula qualquer resistência e anexa Portugal. É o início da União Ibérica. Com essa cartada genial, o falido reino da Espanha consegue uma enorme vitória: torna-se, nada mais, nada menos, senhor das rotas mais lucrativas do comércio mundial. O interesse da Espanha em anexar Portugal tem a ver com a transição de todo o arcabouço do comércio mundial — como vimos — do Mediterrâneo para o Atlântico.

Os holandeses estavam em guerra com a Espanha pela emancipação de seus territórios na Europa e eram parceiros de Portugal no consórcio para produção do açúcar no Brasil. Com a União Ibérica, os holandeses encontraram a brecha de que precisavam para tirar os portugueses do negócio, invadir o Brasil e se apoderar do que havia de mais lucrativo no mundo depois das especiarias: o açúcar e o tráfico de escravos.

Rei Filipe II da Espanha (Tela de Ticiano Vecellio)

Reforma e Contrarreforma

Na primeira metade do século XVI, paralelo ao grande consórcio realizado entre portugueses e investidores judeus sefarditas, radicados na Holanda, para explorar o negócio do açúcar no Brasil, outros dois acontecimentos importantes na Europa reverberarão também aqui. Foram eles: a Reforma Protestante, de 1517 — que, segundo Max Weber, criou uma religião muito mais adequada ao espírito do capitalismo —, e a Contrarreforma, em 1547 — uma reação do catolicismo à primeira Reforma. A partir desse momento, o mundo se dividiria entre católicos e reformistas, incluído nessa denominação todo aquele que não seguisse o catolicismo. Foi uma época obscura, de caça às bruxas.

Do ponto de vista dos negócios, tais exacerbações e polarizações dos espíritos serão nefastas. A Espanha foi o berço da Contrarreforma e da resistência do catolicismo ao reformismo. Desde 1478, no reinado de Fernando de Aragão e Isabel de Castela, funcionava na Espanha a Inquisição ou o Tribunal do Santo Ofício, com o intuito de manter a ortodoxia cristã protegida dos ventos reformistas. Em 1492, já havia expulsado os judeus do território espanhol.

Em Portugal, se a perseguição aos judeus, por um lado, foi ostensiva — a partir de 1496, com o decreto de expulsão —, por outro lado, o grosso do comércio português estava nas mãos de judeus. Desse modo, ao mesmo tempo que perseguia — para manter boas relações com o catolicismo —, Portugal fazia vista grossa,

CAPÍTULO DOIS: PERÍODO COLONIAL

pois sua economia dependia dessas parcerias, desse comércio.

Se em 1496, com o casamento de D. Manuel I com a Princesa Isabel de Castela e a aproximação com a Espanha, havia-se colocado um empecilho no consórcio entre portugueses e comerciantes/financistas judeus, em 1580, com a União Ibérica, o consórcio será praticamente extinto, para desgraça de Portugal e, consequentemente, do Brasil. A Inquisição espanhola estenderá seus tentáculos contra essa tolerância portuguesa para com os judeus. A Inquisição esteve no Brasil, em 1591, na Bahia e no Recife — não por acaso, nos dois grandes polos produtores de cana-de-açúcar — para assuntar a presença de judeus e, evidentemente, caçá-los. Toda a estrutura do negócio do açúcar instalada no Brasil passa a correr o risco de ruir. Para a Espanha, apoderar-se também dos negócios dos judeus holandeses no Brasil era uma forma de vingar-se da Holanda, que, em 1568, travara contra ela uma guerra de secessão. Com as investidas espanholas e o avanço das retaliações e perseguições no Brasil, o cerco vai se fechando de tal maneira aos judeus que tocavam o negócio do açúcar, a ponto de tornar insustentável a manutenção do consórcio e levar a Holanda — como veremos — a invadir o Brasil em 1624.

1580-1640: A União Ibérica

Em 1580, numa tacada de mestre, Filipe II se torna o homem mais poderoso do mundo. Já era dono das minas de prata de Potosí e herda, de quebra, a rota para o Oriente, ou o que restou dela (porque ingleses, holandeses e franceses já haviam pilhado boa parte), o lucrativo comércio de escravos e o negócio do açúcar. Se a revista *Forbes* existisse na época, ele certamente sairia na capa como o homem mais influente do mundo. Vingou-se também, por tabela, da Holanda em duplo sentido. Primeiro, porque a Holanda, como vimos, havia se separado recentemente da Espanha, e o comércio com o açúcar holandês no Brasil agora era parte do Império Espanhol; e, segundo, porque a Holanda havia rompido com o catolicismo e debandado para o reformismo protestante.

Durante o período da União Ibérica, que se estendeu por 60 anos, governarão os três Filipes. Os fatos ocorridos entre 1580 e 1640 interferiram diretamente na história do Brasil. Primeiro, é importante ressaltar os interesses espanhóis nessa união. Certamente, havia ordens econômicas e estratégicas. Segundo o historiador francês Fernand Braudel, a unificação das duas Coroas constituiu uma espécie de marco na orientação da política da Espanha em direção ao Atlântico. O grande palco dos feitos políticos na era filipina havia sido, até então, o Mediterrâneo. Seria por meio daquela unificação que a Espanha passaria a tomar parte na grande era atlântica, inaugurada por Portugal.[9]

CAPÍTULO DOIS: PERÍODO COLONIAL

A Espanha vinha de uma série de bancarrotas que estavam ligadas ao fato de serem banqueiros judeus da burguesia protestante os principais credores e, portanto, na visão de Filipe II, os principais responsáveis pelo desequilíbrio econômico da Coroa espanhola. Toda prata auferida nas jazidas americanas escoava para o pagamento de dívidas com esses credores.[10]

Estavam em jogo poderosos interesses comerciais e religiosos. Ambos os aspectos constituíam as armas com que Filipe II pretendia articular as diversas peças do seu heterogêneo e imenso império político.

A Invasão Holandesa

Quando ocorreu a União Ibérica, em 1580, uma das primeiras atitudes de Filipe II, claro, foi dificultar o acesso dos holandeses aos portos de Lisboa e do Brasil. Como vimos, a produção de açúcar no Brasil era inteiramente monopolizada por eles, desde o financiamento, passando pelo transporte, pelo refino, até chegar à distribuição do produto final na Europa. Todo o capital dos judeus sefarditas que havia sido salvo nos confiscos de bens em 1492, na Espanha, e em 1496 e 1506, em Portugal, estava empregado na produção do açúcar no Brasil.

A partir deste acontecimento — a União Ibérica — imprevisível, inesperado e nefasto para os negócios, os holandeses começam a arquitetar uma forma de reverter o revés.

São os mesmos judeus sefarditas, exilados nos Países Baixos, os grandes financistas da Companhia das Índias Orientais (1602) que, uma vez rompido o consórcio entre Holanda e Portugal, tomaram grande parte do Império Português na África e na Ásia. Mais tarde, em 1620, esses mesmos financistas fundarão a Companhia das Índias Ocidentais, que tinha como objetivos únicos e exclusivos declarar guerra a Filipe II, invadir o Brasil e procurar retomar a autonomia perdida sobre as principais regiões produtoras do açúcar no país. Em 1624, invadiram a Bahia, sede do Governo-Geral, onde malograram. Em 1630, invadiram o Recife e dessa vez triunfaram.

Em 1669, as Companhias das Índias Ocidentais e Orientais da Holanda eram as mais ricas e agressivas companhias privadas do mundo. Possuíam mais de 150 navios mercantes, cerca de 40 navios de guerra, em torno de 50 mil funcionários e um Exército de fazer inveja a qualquer rei, aproximadamente 10 mil soldados.

O Brasil Holandês

Consolidada a conquista de Pernambuco em 1637, toma posse como governador da colônia holandesa o Conde Maurício de Nassau. Embora, por um lado, a Companhia das Índias Ocidentais tivesse claros interesses comerciais, por outro, não deixou também de implantar certos preceitos civilizatórios que nenhum outro povo que esteve, de uma forma ou de outra, em terras brasileiras se preocupou em fazer.

CAPÍTULO DOIS: PERÍODO COLONIAL

49

Maurício de Nassau trouxe ao Recife uma comitiva composta por escultores, astrônomos, pintores — Frans Post e Albert Eckhout —, os cientistas Willem Piso e George Marcgrave, autores da célebre obra *Historia Naturalis Brasiliae*, os historiadores Barlaeus e Nieuhoff, o arquiteto Pieter Post, entre outros intelectuais e artistas consagrados na Europa.

Promoveu grandes melhorias urbanas, como o calçamento de ruas com pedras, além da construção de moradias. O suntuoso Palácio Friburgo, que servia de residência ao governador e possuía um jardim zoológico e um jardim botânico, é um belo exemplo. O Conde João Maurício de Nassau-Siegen governou o Brasil de 1637 a 1644, e sua administração ficou marcada pela preocupação com o desenvolvimento dos centros urbanos e a construção de canais para evitar inundações, pontes, escolas, teatros, hospitais, asilos, estradas e fortes. Construiu também a primeira sinagoga das Américas, em 1636, a Kahal Zur Israel. Permitiu o funcionamento da imprensa, criou bibliotecas, museus e um observatório astronômico, transformando o Recife na cidade mais desenvolvida do Brasil, em extremo contraste com a pobreza de outras cidades brasileiras. O capitalismo com viés civilizatório dos holandeses contrasta brutalmente com o capitalismo meramente predatório dos portugueses, após a restauração em 1640. Se tivéssemos continuado holandeses, certamente nosso destino teria sido outro.

Com a União Ibérica, o país foi coberto pelo manto do atraso e do irracionalismo da Contrarreforma. A perseguição religiosa e a instabilidade política fizeram com que os holandeses, uma vez dominados os aspectos técnicos e organizacionais da produção do açúcar nos trópicos, iniciassem nas Antilhas uma produção semelhante à que faziam no Brasil.

Maurício de Nassau (Tela de Jan de Baen)

Quando deixaram ou foram expulsos do Brasil em 1654 — portanto, já depois da restauração portuguesa (1640) —, a produção de cana-de-açúcar foi profundamente afetada e teve início, no complexo produtivo do Nordeste, um ciclo irreversível de decadência. Não por acaso, em 1763, a capital do país será transferida do Nordeste para o Sudeste, da cidade de Salvador para o Rio de Janeiro. Esse período coincide também com as Entradas e Bandeiras e a descoberta de ouro

CAPÍTULO DOIS: PERÍODO COLONIAL 51

e pedras preciosas em Minas Gerais. Para os portugueses, o mundo colonial começava de novo, do zero.

AS BANDEIRAS E AS MONÇÕES

A única vantagem da União Ibérica — para o Brasil, não para Portugal — é a permissividade, característica desse período, em relação às incursões ao interior do continente. Os portugueses se apegaram às áreas litorâneas produtoras de açúcar e até proibiram, em 1549, com Tomé de Souza, as incursões ao interior. Segundo Frei Vicente de Salvador, os portugueses arranhavam a costa do Brasil como caranguejos.

Diferentemente da colonização portuguesa, a espanhola tinha, aliás, como característica a exploração das terras do interior, entre outros aspectos. Um deles a fundação de cidades urbanisticamente organizadas; outro, a criação de universidades. Em 1538, por exemplo, poucos anos após o descobrimento da América, funda-se a Universidade de São Domingos, a de São Marcos, em Lima, e a da Cidade do México, em 1551.[11] No Brasil, as primeiras universidades só surgiriam no século XX.

Segundo Sérgio Buarque de Holanda, a interiorização da colonização no Brasil só foi possível com a consistência do couro, não a do ferro, ou seja, dobrando-se, ajustando-se a todas as asperezas do meio.[12] Com esse processo de interiorização, o país começou a ganhar traços característicos. De forma espontânea, começou a desenhar-se nesse período o território brasileiro tal qual o conhecemos hoje, com sua dimensão continental — bem como a imagem do povo brasileiro, oriunda da miscigenação de africanos, indígenas e europeus, que, segundo Darcy Ribeiro,[13] se desindianizavam, desafricanizavam e deseuropeizavam, e formavam um povo novo, tanto do ponto de vista biológico como cultural.

Outro aspecto importante de tais incursões é que essas andanças serão responsáveis por criar uma imensa rede de comunicação pelo país. As bandeiras eram expedições que seguiam abrindo caminhos e estradas por terra, e as mais importantes foram as comandadas por Fernão Dias, Bartolomeu Bueno da Silva, Domingos Jorge Velho e Raposo Tavares. Outro tipo de expedição era a fluvial, que seguia, portanto, desbravando o território ao longo dos rios. Era conhecida como monções porque ocorria apenas nos períodos mais propícios à navegação, respeitando a natureza dos rios, cheia e vazante. Essas expedições fluviais descobriram, por exemplo, o que hoje é a hidrovia Tietê-Paraná, que interliga as regiões Sul, Sudeste e Centro-Oeste do Brasil. Ambos os tipos de expedições serão importantíssimos para a unificação, expansão e consolidação do território. Nesse sentido, ao chegar ao final a União Ibérica, o Brasil já será outro.

Mas o aspecto mais importante nesse período da União Ibérica e desse processo de avanço em direção ao interior do continente (único positivo para Portugal) será a descoberta de ouro. Esse ouro se tornará a salvação da pátria portuguesa depois que a União Ibérica acabou com o negócio do açúcar.

CAPÍTULO DOIS: PERÍODO COLONIAL

A Restauração Portuguesa

Como vimos, a União Ibérica tornou-se catastrófica para Portugal, que saiu praticamente sem suas maiores posses-sões na África e na Ásia. Portugal mantinha boas relações com a Holanda e a Inglaterra, enquanto a Espanha estava em guerra contra as duas maiores potências da época. Com a União Ibérica e as dificuldades crescentes impostas pela Espanha, esses países ocuparão a maioria das possessões portuguesas e esfacelarão intensamente seu império colonial. Quase todo o comércio asiático que Portugal havia aberto a duras penas, de forma pioneira, foi praticamente perdido.

A partir da restauração portuguesa (1640) haverá uma sensível modificação na relação de Portugal com a única colônia de peso que ainda lhe restava: o Brasil. A situação era tão dramática que se pode dizer que "a prosperidade e a própria existência de Portugal passaram a depender exclusivamente dela".[14] Pode-se afirmar também que, em função de tal dependência e, claro, em função da desco-berta do ouro, o período de 1640 a 1750 corresponde a uma época de expansão da Colônia.

Em 1640, por exemplo, foi criado o Conselho Ultra-marino, cujo único objetivo era centralizar e reforçar o poder da metrópole e do rei de Portugal sobre a Colônia. Em consequência dessa política centralizadora, todas as ca-pitanias voltaram para o domínio direto de Portugal. Se no período anterior à União Ibérica havia um grande des-leixo de Portugal em relação ao Brasil, a ponto de a França fundar no Rio de Janeiro uma colônia em 1555, a partir da restauração de 1640, Portugal vai criar um forte sistema de restrições de acesso de estrangeiros ao Brasil, assim como uma série de medidas para aperfeiçoar a exploração comercial da sua colônia. Uma dessas medidas é a criação de Companhias de Comércio — criadas já em 1649 —, as únicas que poderiam comercializar com a Colônia. Esse monopólio do comércio com a Colônia vai irritar profundamente, no Brasil, comerciantes que estavam acostumados a comercializar, sobretudo, com franceses, ingleses e holandeses. A principal consequência dessa "política econômica da metrópole que ao liberalismo do passado substituía um regime de monopólios e restrições destinados a dar mais amplitude possível à exploração e aproveitamento da Colônia"[15] será uma sucessão de descontentamentos e ao menos uma revolta, a dos irmãos Beckman — comerciantes portugueses — no Maranhão, em 1684.

Os Portugueses Compram o Nordeste

Fechar o cerco ao Brasil era apenas a primeira frente. A segunda era tentar resgatar as relações com os judeus holandeses. Desde o início da União Ibérica, os holandeses buscaram transferir para outra região a produção do açúcar e escolheram para isso as Antilhas, cujos clima e produtividade eram muito parecidos com os do Brasil.

Coube ao Padre Antônio Vieira a difícil missão de tentar retomar a relação com os sefarditas. Desde a sua vinda para a metrópole, em 1641, o padre vinha difundindo suas ideias. Em 1643, escreveu a "Proposta feita a El-Rei

CAPÍTULO DOIS: PERÍODO COLONIAL

D. João IV em que se lhe representava o miserável estado do Reino e a necessidade que tinha de admitir os judeus mercadores que andavam por diversas partes da Europa". A proposta foi divulgada em impresso, mas foi mandada recolher pelo Santo Ofício.

O Padre Vieira procura, por meio da anuência de D. João IV, atrair os judeus sefarditas, espalhados pela Europa, para Portugal, porque com eles retornaria também o capital de que Portugal tanto precisava. De outro lado, a restauração portuguesa herda o problema da invasão holandesa no Nordeste brasileiro. A questão era: como expulsar os holandeses do Brasil para manter a soberania, sem arrumar uma guerra contra a Holanda e sem espantar a colônia judaica?

Em 1645, Maurício de Nassau retorna à Holanda abrindo espaço para a reconquista do Nordeste brasileiro. Entre 1646 e 1648, eclode na região uma série de revoltas e ataques aos holandeses, que culminarão com a sua expulsão definitiva em 1654.

A reconquista do território, no entanto, não teria sido assim tão gloriosa. Portugal — com o intuito de não se indispor com os donos do capital que desejava atrair de volta a Lisboa — compra o Nordeste dos holandeses mediante pagamento de uma indenização de cerca de 4 milhões de cruzados, o que equivalia a mais de 60 toneladas de ouro.[16] Quem a financiou foi Duarte Silva, rico empresário português, judeu. Para a Holanda foi um excelente negócio, pois já havia transferido boa parte de sua produção para as Antilhas.

O Segundo Milagre Brasileiro: O Ouro

No final do século XVII, empobrecida, a Colônia portuguesa se justificava cada vez menos, pois a manutenção das terras demandava enormes recursos. Quando Portugal procurava, ainda desnorteado, reorganizar-se, resolvendo todos os quiproquós que haviam restado finda a união forçada, eis que, em 1696, em Minas Gerais, bandeirantes paulistas descobrem as primeiras jazidas auríferas. Como era de esperar, os ânimos de Portugal em relação à Colônia se reacendem, e as políticas de restrição da metrópole com o trânsito de pessoas se avolumam. Todas as demais atividades que até então estavam sendo exploradas são abandonadas e, desprezadas, acabam entrando em decadência. A contrapartida necessária da ascensão da mineração, para Portugal, parece ter sido o desleixo com a produção da cana-de-açúcar, que, embora a cada ano se tornasse mais deficitária, ainda rendia alguns dividendos.

A mineração de metais preciosos tornou-se, no Setecentos, a atividade central da política de exploração do Brasil. Só então a metrópole estende a essas regiões um poder institucional e uma base político-administrativa com a criação de Capitanias, como a de São Paulo e depois da própria Minas Gerais, com suas câmaras municipais, seus provedores-mores etc., com o intuito mesmo de intensificar a política tributária.

A descoberta das minas em várias regiões brasileiras e a exploração aurífera vão dinamizar a economia colonial e, consequentemente, a economia lusitana. Em 1699, Portugal levou 725 quilos de ouro; em 1701, foram

CAPÍTULO DOIS: PERÍODO COLONIAL

1.785; em 1703, 4.350; em 1712, 14.050; e, em 1720, 25 mil.

Desde a Restauração, no entanto, Portugal vinha desenvolvendo uma dependência político-econômica cada vez maior com relação aos ingleses. Era a Inglaterra que, em troca do livre-comércio com as colônias portuguesas, protegia Portugal das constantes tentativas de restauração da União Ibérica, por parte da Espanha.

Como consequência do Tratado de Methuem, em 1703, não por acaso época em que as minas passam a render importantes dividendos para Portugal, a relação de dependência para com a Inglaterra se acentua. Grande parte do ouro auferido na exploração das minas vai para lá. É esse processo de capitalização dos comerciantes e banqueiros ingleses que impulsionará o início da Revolução Industrial, em 1760.

A partir de 1783, as minas começam a declinar e surgem os primeiros sinais de exaustão. Por essa época também o mundo já havia mudado, e as mudanças chegariam ao Brasil. Em 1776, a independência dos Estados Unidos e, em 1789, a Revolução Francesa abalaram os alicerces do sistema colonial que entrou em crise. No Brasil, no mesmo ano de 1789, inspirados pelos ideais franceses, explode a Inconfidência Mineira.

A Inconfidência Mineira

Em Minas Gerais, a cruel política tributária imposta pela metrópole, como a implantação de pedágios e alfândegas, a criação das Casas de Fundição e a proibição da circulação do ouro que não tivesse sido fundido e, portanto, tributado, será responsável por, pelo menos, duas revoltas coloniais: a revolta de Filipe dos Santos (Vila Rica, 1720), no período inicial da mineração, e a Inconfidência Mineira, já em outro contexto, de contestação do próprio sistema colonial. O principal motivo da Inconfidência foram as medidas cada vez mais exploratórias e escorchantes impostas por Portugal à região das minas. Essa política foi implantada pelo Marquês de Pombal, que havia se tornado primeiro-ministro de Portugal no ano de 1750. Inicialmente, o tributo sobre o ouro auferido nas minas era o Quinto (20%). Com a escassez das lavras e a desconfiança de Portugal de que o ouro estava sendo desviado, por volta de 1750 define-se uma cota fixa como imposto de 100 arrobas (1.500 quilos) de ouro por ano. Como essa cota era impossível de ser atingida, a Coroa portuguesa estabelece, em 1763, numa atitude radical, a prática da Derrama, que consistia na supressão de bens particulares dos moradores das cidades para inteirar a cota de impostos. É nesse contexto de exploração intensiva que, tomado pelo espírito da Revolução Francesa (1789), um grupo de brasileiros se revolta contra o despotismo. A reação de Portugal foi de extrema violência, e Tiradentes foi enforcado e esquartejado. Esse seria o ato derradeiro do ciclo do ouro no Brasil, sua grandeza e sua miséria, e, com ele, o fim de todo o sistema colonial.

O Terceiro Milagre Brasileiro: O Café

Mas em meio ao caos iminente, um produto, que vinha até então sendo cultivado apenas para consumo interno e que ganhava cada vez mais importância no paladar europeu, chamou a atenção de todos: o café. Em 1779, o país exportara para Lisboa 79 arrobas. Em 1796, menos de 20 anos depois, o volume de exportação já era de 8.495 arrobas e, no ano de 1806, atingia a cifra astronômica de 82.245 arrobas. Nascia ali, das cinzas da mineração, o terceiro milagre brasileiro: o ciclo do café, que perduraria até a crise de 1929.

A produção de café tem início no Rio de Janeiro — a atual Floresta da Tijuca já foi um enorme cafezal — e ao longo de todo o vale do Paraíba. O esgotamento das terras faz com que as plantações migrem, até encontrar o interior de São Paulo, no sentido oeste, na região de Campinas, seu segundo período de expansão. A cidade de São Paulo, que até então não tinha a mesma importância das cidades do Nordeste e do Rio de Janeiro, passa a se desenvolver num ritmo acelerado.

As fazendas de café se organizavam da mesma forma que as fazendas produtoras de açúcar do Nordeste: latifúndio, monocultura e trabalho escravo. Essas fazendas eram uma espécie de mundo em miniatura, com suas próprias regras, onde se encontrava de tudo e vivia-se num relativo isolamento em relação ao restante do país.

A importância maior do deslocamento do grosso da produção do café para São Paulo é que uma poderosa aristocracia se formava na província. Depois dos senhores de engenho e dos mineradores, surgiam os grandes barões do café. O século XIX será o século do café no Brasil, e o poder econômico fará com que essa aristocracia cafeeira se torne, com o tempo, a elite social e política do país.

A Vinda da Família Real Portuguesa

Quando Napoleão invadiu a Espanha e Portugal entre os anos 1807 e 1808, toda a América espanhola aproveitou a oportunidade para libertar-se da colonização. A Argentina o fez em 1816; o Chile, em 1818; a Colômbia e a Venezuela, em 1819; e o Peru, em 1821. A Inglaterra, principal potência econômica e bélica do século XIX, reconheceu imediatamente a independência desses países, principalmente porque lhe interessava ampliar as possibilidades de negócio. Com o Brasil — única colônia portuguesa — deu-se algo inusitado: a Coroa migrou para cá com todo o seu *entourage*. Os movimentos internos de contestação (a exemplo da Inconfidência Mineira, de 1789) não foram suficientes para despertar o sentimento de independência no Brasil. Por ter escoltado a Coroa portuguesa, a Inglaterra ganhou de presente do Príncipe D. João a chamada Abertura dos Portos às Nações Amigas, lei promulgada em 28 de janeiro de 1808. A abertura dos portos é o ato mais pleno de significado para o Brasil, pois, ao franqueá-los ao comércio internacional livremente, D. João destruía, assim, com uma canetada, todo o esquema colonial que havia surgido na época da Restauração (1640)

CAPÍTULO DOIS: PERÍODO COLONIAL 61

e que era a base do domínio colonial português e da própria razão de ser da Colônia, que era o exclusivismo comercial. Quando, em 1809, Napoleão é vencido e seus exércitos deixam Portugal, passa-se por lá a se exigir que a ordem anterior seja restaurada e restabelecida, ou seja, o monopólio comercial entre Portugal e Brasil. Para a Inglaterra — quem mais se beneficiou com a abertura dos portos —, o exclusivismo comercial seria um retrocesso e, agora, era melhor o Brasil livre de Portugal. Por esse motivo é que se viabilizará a independência do Brasil, e só por isso — mais pelos interesses ingleses do que nacionais. E é o que aconteceria em menos de uma década, como veremos.

Os Interesses Ingleses

Os interesses ingleses no Brasil eram óbvios, pois quando se fala em Revolução Industrial fala-se em algodão. Entre 1780 e 1830, a manufatura do algodão foi o motor da primeira fase da industrialização na Inglaterra. Em 1806, o bloqueio continental, imposto por Napoleão, dificultou o comércio inglês no porto de Lisboa, até então o intermediário entre o algodão brasileiro e os compradores ingleses, bem como a Guerra de Independência dos Estados Unidos dificultou a comercialização do algodão na América do Norte.

Exasperados e na iminência de verem o progresso da Revolução Industrial paralisado ou comprometido pela crise no fornecimento de matéria-prima, não por acaso os ingleses convencem a família real portuguesa a vir para o Brasil em 1808. A cordialidade dos ingleses em escoltá-la tem, no fundo, um viés profundamente pragmático, ou seja, resolverá seu problema de acesso à matéria-prima produzida no Brasil, uma vez que o algodão será comercializado e embarcado diretamente dos portos da Colônia, eliminando a intermediação dos comerciantes portugueses, que monopolizavam o comércio, e o inconveniente das obstruções napoleônicas.

Com o tratado de 1810, a taxa de importação, de 24%, para todas as nações (Portugal incluído) será de apenas 15% para a Inglaterra — o que, na realidade, significava praticamente a concessão de um monopólio e o fim do exclusivismo comercial. Com isso os ingleses passam a negociar livremente nos portos do Brasil com fortes desvantagens para os comerciantes de algodão brasileiros e lusos estabelecidos na província, sobretudo do Maranhão, o grande produtor.

Entre os anos de 1812 e 1821, o Maranhão exportou quase toda a sua produção para a Inglaterra. Foram 50.108 sacas, por exemplo, em 1813, quase 90% da produção anual. Na transição entre o final da extração do ouro e o auge da produção do café — que ocorrerá a partir da década de 1830 —, o algodão foi o grande produto de exportação brasileiro. Por isso, em 1822, quando o Brasil rompeu com Portugal, nessas regiões produtoras de algodão levantaram-se movimentos separatistas e, por causa dos interesses ingleses, tais movimentos foram violentamente reprimidos, como veremos.

A Revolução Pernambucana

A Revolução Pernambucana (1817) foi a mais forte contestação ao consórcio firmado entre Portugal e Inglaterra no negócio do algodão. Outro motivo da revolução foi que a vinda da Corte para o Brasil significou maiores controle e presença do Estado nas províncias, sobretudo no que se referia à cobrança e arrecadação de impostos. É claro que, a partir daí, os descontentamentos serão generalizados, sobretudo no Nordeste, que havia empobrecido desde o fim do ciclo da produção de açúcar.

A gota-d'água para a eclosão da Revolução Pernambucana, porém, foi formada pelos pactos firmados entre Portugal e Inglaterra, que interferiram diretamente nos interesses comerciais de brasileiros e portugueses residentes no Brasil, e sobretudo aqueles voltados para a produção e comercialização do algodão na Região Nordeste. Os revoltosos romperam com o Rio de Janeiro e proclamaram a República, que durou 75 dias. Entre os líderes estavam Frei Caneca e Antônio Carlos de Andrada e Silva, irmão de José Bonifácio. No período, foram enviados emissários a diversos países — o mais importante deles os Estados Unidos —, a fim de buscar apoio para a revolução que visava ao fim da única monarquia das Américas. A Revolução Pernambucana foi violentamente debelada pelas tropas oficiais. Essa seria a última grande contestação ao domínio português sobre o Brasil antes da independência, que ocorreria dali a quatro anos.

O Brasil no Início do Século XIX

O Brasil do século XIX é um paquiderme que caminha lentamente, de forma anacrônica, obsoleta e decadente em relação às grandes transformações pelas quais passava o mundo ocidental. O século XIX surge sob o signo do progresso e da industrialização. No Brasil, em 1785, na contramão desse progresso, mas atendendo às exigências da Inglaterra, Portugal manda extinguir todas as manufaturas têxteis do país, condenando-o a se tornar um mero fornecedor de matéria-prima. É esse o papel que caberá ao país no intenso jogo da divisão internacional do trabalho.

Esse tipo de decisão condicionou a formação econômica do país, sempre voltada para o viés primário exportador. Perdera o bonde da história, e um processo robusto de industrialização no Brasil só ocorreria a partir dos anos 1930, quando já éramos a periferia do capitalismo internacional. No início do século XIX, segundo Caio Prado, "o antigo sistema fundado no pacto colonial e que representa o exclusivismo do comércio das colônias para as respectivas metrópoles entra em declínio".[17] Foi essa transformação econômica fundamental que perdemos na passagem do capitalismo comercial para o capitalismo industrial, quando, seguindo os desideratos da Inglaterra, optamos por fechar nossas indústrias e nos contentamos com a produção e fornecimento de matéria-prima.

O avanço do capitalismo industrial sobre o capitalismo meramente comercial só se viabilizou mediante a superação de todo e qualquer tipo de monopólio. Desse modo, o regime colonial, vigente no Brasil até 1822, foi um enorme obstáculo ao desenvolvimento, e suas consequências se estenderam no tempo para além da independência, pois a interferência da Inglaterra no destino do país se estenderá até, pelo menos, 1850.

O Processo de Independência

Em 1815, morre a rainha de Portugal, D. Maria I, e o Príncipe D. João assume o trono. Decide elevar o Brasil a Reino Unido de Portugal e Algarves. No mesmo ano, Napoleão é derrotado na Batalha de Waterloo. A quebra do monopólio de comércio nos portos do Brasil em favor da Inglaterra, assinado em 1810 por D. João, havia irritado profundamente os comerciantes portugueses em Lisboa. Não era para menos, já que dois terços das transações comerciais de Portugal com os países europeus eram de produtos oriundos da Colônia.

Entre 1817 e 1820, explode em Portugal a Revolução Liberal. Os ânimos se exaltaram, falava-se até em supressão da Monarquia. Em 1821, com o pescoço praticamente na guilhotina, o Rei D. João VI resolve voltar para Portugal.

A partir do momento que a Corte portuguesa vem ao Brasil com mais de 10 mil pessoas, e aqui já havia permanecido por 10 anos, muitos não queriam mais voltar. Haviam adquirido patrimônio, aberto negócios, constituído família e se imiscuído na vida social do país. Já havia aqui uma classe estabelecida de comerciantes — portugueses e brasileiros —, que auferiam grandes lucros no comércio com a Inglaterra. E com o retorno da Corte para Portugal, os comerciantes lusitanos exigiam também que o pacto colonial — ou seja, o monopólio do comércio com o Brasil — fosse restabelecido. Essa queda de braço entre Colônia e metrópole vai redundar no processo de independência.

Em 7 de setembro de 1822 — fortemente pressionado pelas elites brasileiras, de um lado, e pelas portuguesas, de outro lado —, D. Pedro decide-se por afrontar Portugal e declara a independência do Brasil. Esse ato heroico com direito a brado retumbante às margens do Ipiranga, no entanto, só foi possível, é claro, com o respaldo da Inglaterra, que intimidou qualquer reação de Portugal, além de, logicamente, ter pago 2 milhões de libras esterlinas a título de indenização a Portugal. Dinheiro emprestado ao Brasil pela Inglaterra. Outros empréstimos seriam realizados: em 1825, 3 milhões de libras; em 1829, 400 mil; em 1839, 312 mil; em 1843, 732 mil; em 1852, 1.052 milhão. Todos empréstimos tomados junto aos bancos ingleses comandados pelos Rotschild.

Enquanto os meninos aqui no Brasil brincavam no *playground* da emancipação política, os pragmáticos ingleses preparavam as faturas. Em 1827, por exemplo,

CAPÍTULO DOIS: PERÍODO COLONIAL

condicionaram o reconhecimento da independência do Brasil à renovação dos tratados de livre-comércio assinados entre 1808 e 1810.

Pode-se dizer que o Brasil se livrou dos portugueses, mas caiu nas garras dos ingleses.

CAPÍTULO TRÊS

PERÍODO MONÁRQUICO

1822 — 1889

A CONSTITUIÇÃO DE 1824
As trocas de favores de todos os lados geraram também os devidos rabos presos. Brasil com Inglaterra, e D. Pedro I com as elites luso-brasileiras. Nesse cenário, qualquer projeto de nação que não atendesse aos interesses desses dois personagens... não passaria.

Sabendo que o osso seria duro de roer, em 1823 o imperador convoca a Assembleia Constituinte. José Bonifácio de Andrada e Silva, seu aliado desde a primeira hora, apresenta um projeto ousado para a realidade político-econômica do país: uma lei que extinguia o tráfico de escravos. A elite brasileira — os donos do poder — era constituída, em sua maioria, por homens que viviam do negócio com escravos. Fortemente pressionado pelo fisiologismo dessa elite, D. Pedro I dissolve a Assembleia

CAPÍTULO TRÊS: PERÍODO MONÁRQUICO

Constituinte. A Constituição, que seria promulgada, foi outorgada. Péssimo começo e sinal inequívoco de que a independência não havia passado de um episódio que atendera mais aos interesses ingleses do que a uma vontade nacional. Havia ainda um longo caminho pela frente a ser percorrido em direção à construção de uma nação. Fato é que, desde a independência, tudo estava transcorrendo num espírito de unidade de vistas até o momento da dissolução da Constituinte. O ato vai dividir o país. De um lado, comerciantes portugueses que apoiaram incondicionalmente o imperador, e, de outro lado, brasileiros que se sentiram traídos. Explode na província de Pernambuco a Confederação do Equador. O país independente será, em vários aspectos, apenas um prolongamento do Brasil colonial.

A CONFEDERAÇÃO DO EQUADOR

O absolutismo de D. Pedro I no episódio do fechamento do Congresso e do aborto à Constituição foi um desastre. Não poderia haver atitude mais na contramão dos acontecimentos mundo afora do que essa. O absolutismo estava sob forte contestação. As províncias de Pernambuco, Ceará, Rio Grande do Norte e Paraíba rebelaram-se contra o imperador. Já em 1817, como vimos, com a Revolução Pernambucana, as províncias do Nordeste tentaram romper relações com o Rio de Janeiro numa revolta antimonarquista e também com forte viés separatista. O imperador, na falta de uma marinha organizada, contrata o pirata e mercenário inglês Thomas Cochrane para fazer o cerco por mar aos revoltosos. Por terra seguiu o fiel escudeiro do imperador, o Comandante Francisco de Lima e Silva. Nessa nova investida contra as províncias do Nordeste — que já haviam sido invadidas por Cochrane em 1822 — que, mais uma vez, se rebelaram contra o golpismo e o absolutismo de D. Pedro I, Cochrane usou os mesmos procedimentos: a violência e o saque. Frei Caneca — que já havia sido poupado em 1817 — era um dos líderes do movimento de 1824 e foi fuzilado em praça pública. Cochrane, regiamente pago por D. Pedro I, recebeu cerca de 40 mil libras esterlinas, fora o incontável resultado dos saques que fez. Para esse homem que massacrou brasileiros, o imperador deu a honraria da Grã-Cruz da Ordem do Cruzeiro do Sul. Por essas e outras é que a batata do imperador estava assando.

A Abdicação de D. Pedro I

Em 1826, morre, em Portugal, D. João VI. Esse fato cria uma situação constrangedora para D. Pedro I, pois o imperador era o herdeiro do trono português. Assumir os dois tronos significava um retrocesso. Em Portugal, exigia-se que D. Pedro I assumisse o trono. No Brasil, que a situação fosse imediatamente resolvida. Em 1831, os fatos se precipitam. Retornando de uma série de viagens pelas províncias, onde havia sondado o espírito

CAPÍTULO TRÊS: PERÍODO MONÁRQUICO

de dissidência, o imperador é recebido no Rio de Janeiro com aplausos e vaias. A polarização dos espíritos levou inevitavelmente ao conflito que ficou conhecido como Noite das Garrafadas. Se o 7 de setembro de 1822 marca a independência do Brasil, o 7 de abril de 1831 marca uma renovação (ou refundação) do processo independentista. Nesse dia, D. Pedro I assina a abdicação ao trono e parte para Portugal com o intuito de apagar o incêndio por lá, deixando o filho, D. Pedro II, de apenas cinco anos, como seu sucessor. Até que reunisse condições para governar, o país seria governado por uma regência. Mas o que parecia uma revolução — a abdicação de D. Pedro I em consequência do clamor popular —, logo mostrou sua cara e seu objetivo maior, ou seja, mudar para deixar tudo exatamente como estava. Para começar, o regente era o Coronel Francisco de Lima e Silva, homem de confiança de D. Pedro I. Segundo, tem início um esforço de fabricar um consenso em torno do que Evaristo da Veiga, do jornal *Aurora Fluminense*, chamou de "uma assombrosa revolução".

Nada havia mudado; havia muitos interesses em jogo. O tráfico de escravos (e a escravidão) permanecera e, consequentemente, o poder seguia nas mãos das elites rurais produtoras de café. O projeto de D. Pedro I era retornar ao Brasil — assim que pudesse dar jeito na situação em Portugal — para reassumir o trono. Contudo, sua morte inesperada, em 1834, pôs fim a esse planejamento.

D. João VI (João VI de Portugal) e D. Pedro I (Pedro IV de Portugal)
À esquerda: Tela de Albertus Jakob Franz Gregorius
À direita: Tela de Simplício Rodrigues de Sá

A Ascensão da Oligarquia do Café

Entre 1808 e 1831 — com o fim do pacto colonial —, comerciantes portugueses e ingleses radicados, sobretudo, no Rio de Janeiro ensaiaram uma diversificação na economia brasileira. Porém, em 1831, com a abdicação de D. Pedro I e com o início das regências, os barões do café aparelharam o Estado, e toda a política econômica do país passou a atender às necessidades e aos anseios dessa classe. Incluído o enfrentamento da Inglaterra, que era contra o tráfico negreiro e a escravidão. Em 1840, quando D. Pedro II assume o trono,

CAPÍTULO TRÊS: PERÍODO MONÁRQUICO 73

a economia do país estará completamente fundada na dependência do café e, do ponto de vista sociopolítico, toda uma estrutura, que gira em torno dos interesses dessa oligarquia cafeeira, estará fortemente arraigada na sociedade brasileira. Desse modo, a diversificação da economia do país — sobretudo o processo de industrialização — permanecerá vegetativa até os anos 1930, com o café representando 70% das exportações brasileiras.

O resultado mais visível desse processo é que, de um lado, forma-se uma classe abastadíssima — pois a região produtora de café vai se tornar a mais rica e progressista de todo o país, e é nela que se concentrará parte significativa de toda a atividade econômica — e, de outro, um mar de pobreza. Toda aquela estrutura tradicional que vigorava desde o século XVI e que havia sido abalada pelo ciclo do ouro — produção e exportação de gêneros tropicais — torna a reacender.

O Período Regencial

Entre 1831 e 1840, as regências governaram o país. A verdade é que, nesse período, ele viveu em uma espécie de limbo entre o monarquismo e o republicanismo, e que só se resolverá com o Golpe da Maioridade (23 de julho de 1840), que levará ao fim das regências e à aclamação de D. Pedro II. Até 1834, enquanto D. Pedro I estava vivo, o país tinha vivido um estado de espera permanente, o Partido Restaurador lutava para conseguir com que D. Pedro I voltasse ao Brasil. Morto o imperador em 1834, as esperanças se desvaneceram, e o lume das revoltas separatistas reacendeu.

Entre 1835 e 1840, eclodiram vários movimentos sediciosos. A Cabanagem (1838-1841), a Balaiada (1837-1838), a Sabinada (1835 e 1845), a Guerra dos Farrapos, entre outras, pelo menos, 10 revoltas espalharam-se pelo país. Todas elas com um objetivo em comum, além dos objetivos específicos de cada região em que ocorreu: o fim da Monarquia (já que o país vivia num regime praticamente republicano). À frente de quase todas as ações repressivas contra essas revoltas estava Luís Alves de Lima e Silva, o Duque de Caxias, comandante de uma espécie de tropa de elite do imperador.

Por trás da questão da permanência ou não do regime monárquico estava uma intensa disputa entre os partidos liberal e conservador — nascidos no período regencial — em torno da descentralização político-administrativa, o que levava o país a uma espécie de estagnação. A solução foi o Golpe da Maioridade, que pôs fim às regências e tinha o objetivo de instaurar mais uma vez o consenso em torno da Monarquia.

A economia cafeeira estava em plena expansão, e tudo de que precisava era uma política e uma sociedade em que imperasse o congraçamento e onde seus interesses pudessem voar em céu de brigadeiro. A alternância no poder entre liberais e conservadores no período regencial inaugurou no Brasil uma prática muito comum até os dias de hoje. A disputa entre grupos político-partidários ou grupos econômicos não visa formar uma unidade com vistas à construção de um projeto de nação comum a toda a sociedade, mas, sim, projetos particulares ou de classe. O boicote ou a sabotagem de uns contra os outros afeta a todos, e o país e o povo vão soçobrando numa espécie de limbo, ardendo na fogueira das vaidades do poder.

O SEGUNDO REINADO NO BRASIL: D. PEDRO II

Em 1840, com o Golpe da Maioridade, D. Pedro II assume o trono do Brasil aos 15 anos de idade. Já nos anos iniciais, enfrenta seu batismo de fogo, ou seja, teve de contemporizar interesses diametralmente opostos de brasileiros e ingleses. A pressão da Inglaterra para a supressão do tráfico de escravos e para o fim da escravidão no país se justifica pelo fato de que a substituição do trabalho escravo pelo assalariado abriria um amplo mercado consumidor. Era nessa fatia que os ingleses estavam de olho. Entretanto, havia um problema: justamente os ingleses eram os maiores importadores do café brasileiro, e quanto mais importavam, mais lenha lançavam na fogueira do tráfico negreiro. De outro lado, as maiores fortunas do país, e consequentemente o poder, estavam nas mãos destas duas classes sociais — a de traficantes de escravos e a da oligarquia do café. O imperador não podia nem pensar em mexer nesses dois setores. Qualquer medida que implicasse perdas afiaria a guilhotina.

Em 1845, a Inglaterra aprova a Bill Aberdeen, lei que proibia o tráfico de escravos no Atlântico Sul. A vista grossa do governo brasileiro tornou-a inócua. No ano de 1846, a entrada de escravos no Brasil saltou de 20 para 50 mil; em 1847, para 56 mil; e, em 1848, para 60 mil.

D. Pedro II

O Barão de Mauá

Irineu Evangelista de Souza é um dos personagens mais importantes do Segundo Reinado no Brasil, juntamente com o Duque de Caxias. Mauá havia retornado da Inglaterra em 1840, com a cabeça fervilhando de ideias. A Revolução Industrial havia acabado de explodir por lá, e o velho mercantilismo de outrora estava sendo substituído pela indústria e pela produção de bens de consumo. Por todo lado, brotavam fábricas, fundições, estradas de ferro, bancos... Quando chegou ao Brasil, o Barão de Mauá encontrou um país extremamente dependente da exportação de *commodities*. No decênio 1821-1830, o açúcar respondia por 30,1% das nossas exportações, enquanto o café, por 18,4%. À medida que a economia brasileira vai se concentrando na monocultura cafeeira, o quadro se altera. No decênio 1831-1840, o café passa a responder por 43,8% das exportações brasileiras. No curto e no longo prazos, se o país quisesse tornar-se grande em matéria de negócios, precisava diversificar sua economia.

Na contramão de tudo, Mauá abre 17 empresas em parceria com investidores ingleses. Tinha bancos, estradas de ferro, a maior fábrica do país, uma fundição, uma companhia de navegação, empresas de comércio exterior, mineradoras, usinas de gás etc. Em 1867, Mauá era dono da maior fortuna particular do Brasil: cerca de 60 milhões de dólares. O imperador sabia que a economia brasileira deveria iniciar urgentemente um processo de diversificação; os empreendimentos de Mauá abriram os olhos do imperador para novas possibilidades, novos caminhos para a economia brasileira. O Brasil que surge na segunda metade do século XIX será, em grande parte, fruto do trabalho e da imaginação de Mauá.

A Lei Eusébio de Queirós

A Lei Eusébio de Queirós (1850), que extinguia o tráfico de escravos no Brasil, foi fruto de uma astuciosa negociação entre o imperador, políticos ligados a ele, o Barão de Mauá e os traficantes. Para evitar uma crise política que poderia até resultar no fim da Monarquia, o Barão de Mauá operacionaliza a transição de forma magistral. Começa por fundar um banco, chamado Banco do Brasil, em 1851. O BB vai transformar a ruína iminente de uma classe social em uma oportunidade de negócio infinitamente melhor. De traficantes, esses senhores tornaram-se rentistas, agiotas. Livraram-se de um duplo problema que os afligia: o primeiro, econômico, já que, com a intromissão dos ingleses, o tráfico negreiro tornava-se cada vez mais um negócio arriscado e sujeito a prejuízos enormes; o segundo, moral, pois já havia um setor da sociedade que não via com bons olhos a questão da escravidão, que já tinha sido condenada mundo afora. Em tempos nebulosos, a intervenção de Mauá foi mais que cirúrgica; foi providencial. Com esse capital convergindo para as forças produtivas do país, as importações da Inglaterra aumentaram em 57% de 1851 para 1852. As receitas do Tesouro com os impostos de importação saltaram 30%

no mesmo período. As duas frentes que pareciam estar a caminho de uma colisão frontal — o imperador e os traficantes de escravos — saíram rindo à toa. E no Brasil, quando o governo e as elites econômicas estão satisfeitos, vive-se no melhor dos mundos possíveis. São Mauá.

Barão de Mauá

Instituto Histórico e Geográfico Brasileiro (IHGB)

Com o tempo, políticos liberais e conservadores descobriram que a estabilidade política do país era benéfica para ambas as partes. O aumento gradativo das exportações de café na década de 1840 ia recuperando a combalida economia nacional.

O Instituto Histórico e Geográfico Brasileiro foi o centro irradiador a partir do qual se buscou formatar uma identidade para o Brasil. Essa identidade, no entanto, não passava pela diversidade do país, formada por índios, negros e europeus. Ao contrário, procurou negá-los. No instituto, forjou-se a primeira história do Brasil. Nessa história, a civilização europeia e cristã era o modelo absoluto, em detrimento de toda a diversidade religiosa e cultural que dominava o país, oriunda da miscigenação. Historiadores do IHGB propunham como saída para o Brasil, no longo prazo, o branqueamento da população. O fim da escravidão e o incremento de políticas de imigração levariam a um processo de branqueamento benéfico para o futuro do país. A principal obra publicada por esse instituto foi *História geral do Brasil,* de Francisco Adolfo Varnhagen. Sua visão vai desembocar em outro exemplar dessa fauna eugenista: Raimundo Nina Rodrigues, que, no final do século XIX, escreveu *Mestiçagem, degenerescência e crime,* em que atribuía aos mestiços uma propensão maior à indolência, ao ócio, à promiscuidade e ao crime. Num país constituído de mestiços, essa era uma condenação geral do povo brasileiro. O desserviço desses

CAPÍTULO TRÊS: PERÍODO MONÁRQUICO 81

senhores será responsável por tornar o Brasil — ainda nos dia de hoje — uma das sociedades mais preconceituosas, excludentes e autoritárias do mundo. Para o imperador e para a Monarquia, o que interessava, de fato, era a justificação da permanência do regime monárquico que, como europeia, era o grande agente civilizatório. Vencido o período conturbado (Primeiro Reinado e Regência), de fortes contestações à Monarquia, essas teses caíam como luvas nas mãos dos monarcas, e o IHGB acabou por se tornar uma espécie de agência de marketing do imperador.

O Novo Mundo

A partir das grandes mudanças sociais e econômicas em consequência da Lei Eusébio de Queirós, o Brasil viverá um surto desenvolvimentista. Uma verdadeira revolução na diversificação de suas atividades produtivas. Talvez o maior já experimentado desde 1808 (com a chegada da família real portuguesa). Em 1851, o início do movimento regular da constituição de empresas e sociedades anônimas; em 1852, a inauguração da primeira linha telegráfica, na cidade do Rio de Janeiro; em 1854, a abertura ao tráfego da primeira linha de estradas de ferro do país, também no Rio de Janeiro. Segundo Sérgio Buarque de Holanda, "o caminho aberto por semelhantes transformações só poderia levar, logicamente, a uma liquidação mais ou menos rápida de nossa velha herança rural e colonial, ou seja, da riqueza que se funda no emprego do braço escravo e na exploração perdulária das terras de lavoura".[18] A partir desse momento, o incentivo ao comércio, ao desenvolvimento urbano e aos profissionais liberais vai criar um novo tipo de elite no país. Com o tempo, essa nova elite passa a rivalizar com a antiga, ruralista, escravocrata, latifundiária, que tomava conta do poder. A história da segunda metade do século XIX no Brasil será, em grande parte, de um lado, a história da ascensão dessa nova elite, de outro, a crise da velha elite brasileira, e a Monarquia no meio, como o fiel da balança.

A GUERRA DO PARAGUAI

Em 1864, tem início a Guerra do Paraguai. A disputa girava em torno da questão de o país não ter saída para o mar. Era, inicialmente, um conflito bélico entre a Tríplice Aliança — Brasil, Argentina e Uruguai — e o Paraguai com suas ambições expansionistas. Mas, para o Brasil e para o Imperador D. Pedro II particularmente, havia um elemento importante da política interna no contexto da guerra: o momento em que o imperador vai procurar firmar seu genro, o Conde d'Eu, na política brasileira. Muito inseguro com a herdeira do trono, a jovem Princesa Isabel, o imperador queria tornar a figura do Conde D'Eu palatável para a elite política brasileira que não digeria o fato de ele ser francês e ter um pensamento liberal. Em 1869, Caxias toma Assunção. O presidente do Paraguai (para os brasileiros, um tirano sanguinário), Solano López, havia fugido, mas, mesmo assim, existia uma pressão enorme para que a guerra fosse encerrada. O próprio Caxias se desligou do comando das tropas. A guerra se encerraria um ano depois, em março de 1870, com a morte de López e o Exército brasileiro sob o comando de Gastão de Orléans e Bragança, o Conde d'Eu.

A Princesa Isabel: Herdeira Presuntiva do Trono
Desde 1863, quando os Estados Unidos haviam declarado o fim da escravidão, o Brasil tinha se tornado um dos únicos países do Ocidente a tolerá-la, fato que colocava o país e o imperador em situação constrangedora nas relações internacionais. Em 1867, a Junta Francesa para a Emancipação enviou uma carta apelando ao imperador para que resolvesse a questão da escravidão. Na Fala do Trono, o imperador detona uma bomba,

O Conde d'Eu e a Princesa Isabel

"a escravidão no Império não pode deixar de merecer vossa consideração [...] provendo-se que sejam atendidos os altos interesses que se ligam à emancipação". Finda a Guerra do Paraguai (1870), o imperador resolve fazer uma viagem inédita à Europa, deixando para a Princesa Isabel a experiência de sua primeira regência. Com a morte dos filhos varões, restava ao imperador um grande problema em relação à sucessão e, portanto, ao Terceiro Reinado. A princesa enfrentaria, sem dúvidas, o preconceito de gênero na patriarcal sociedade brasileira. Isabel será uma personagem fundamental no anos finais da Monarquia no Brasil. Como herdeira do trono e nascida em uma época em que a economia brasileira já havia se diversificado, casada com um príncipe francês, de pensamento liberal, a princesa se conectará mais com a elite liberal e citadina, e procurará construir seu reinado — o terceiro — sobre essa base. Com esse alinhamento desde a primeira hora, ela atrairá para si a ira dos conservadores.

A Lei do Ventre Livre

A Lei Paranhos, ou Lei do Ventre Livre (1871), será um passo importante e gigantesco, não para os escravos, pois a vida deles, na prática, pouco mudaria, mas para as ambições da princesa. Muito jovem e na ausência do pai, Isabel enfrentou com coragem experientes políticos brasileiros que se opunham energicamente à criação da lei. Muitos deles ligados ao que havia de mais

CAPÍTULO TRÊS: PERÍODO MONÁRQUICO 85

conservador na sociedade brasileira — os fazendeiros escravocratas. Além da polêmica lei, a princesa propôs estabelecer uma corrente de imigração, além de projetar investimentos na construção de estradas, pontes, canais, melhoramento de portos e no estabelecimento de fábricas de diversos gêneros. A intenção era a introdução de 30 mil imigrantes até 1877; 50 mil até 1882; 75 mil até 1887; e 100 mil até 1891. Aqueles que achavam que a princesa iria somente enfeitar o trono do imperador durante suas *saisons* europeias surpreenderam-se com a capacidade de enfrentamento político de uma jovem de 24 anos. A insistência na questão da imigração estava ligada à necessidade de suprir a demanda de mão de obra, uma vez que, no horizonte da princesa, estava a abolição da escravatura no Brasil. E não era mera especulação: seus opositores tinham um precedente, pois ninguém esquecera ainda que, decorrido um ano, o Conde d'Eu tinha abolido a escravidão no Paraguai.

O CENSO DE 1872

O Censo de 1872, realizado logo após o retorno do imperador de uma viagem à Europa, revelará a verdadeira cara do Brasil no século XIX. Éramos um país atrasado e com enormes desafios a serem vencidos. A escravidão era o principal deles. Na província do Rio de Janeiro havia 292.637 escravos; em São Paulo, 156.612; em Minas Gerais, 370.459; e, na Bahia, 167.824. Outro aspecto da pesquisa revelou o quão a sociedade brasileira ainda era rural e agrícola. As profissões agrícolas venciam disparado qualquer outro tipo de atividade: havia, no país, 3 milhões de trabalhadores ligados ao campo; 19 mil manufaturas; 968 juízes; 1.647 advogados; 493 notários; 1.024 procuradores; 1.619 oficiais de justiça; 1.729 médicos; 238 cirurgiões; 1.392 farmacêuticos; 1.197 parteiras; 3.525 professores; e 10.710 funcionários públicos. Essse quadro revela a dimensão da dependência do país ao campo e o atraso em que se encontrava em relação às nações europeias e aos Estados Unidos, já imbuídos pelo espírito da Revolução Industrial e pelas ideias do liberalismo econômico e político. Outro dado nos revela um quadro assustador: se considerarmos apenas o Rio de Janeiro — que era a capital do Império —, dos 133 mil habitantes do sexo masculino e livres, 68 mil eram analfabetos. Esse número aumenta significativamente se considerarmos os habitantes do sexo feminino. Tal catástrofe revela o descaso total com o povo. Na verdade, segundo Darcy Ribeiro, "nunca houve aqui um conceito de povo, englobando todos os trabalhadores e atribuindo-lhes direitos [...] a primazia do lucro sobre a necessidade gera um sistema econômico acionado por um ritmo acelerado de produção do que o mercado externo dela exigia [...] em consequência, coexistiram sempre uma prosperidade empresarial, que às vezes chegava a ser a maior do mundo, e uma penúria generalizada da população local".[19]

CAPÍTULO TRÊS: PERÍODO MONÁRQUICO

VENTOS DA TRANSFORMAÇÃO

Embora o censo de 1872, encomendado pelo imperador, tivesse revelado a face de um país ainda predominantemente rural, patriarcal, atrasado economicamente e fortemente dependente da exportação de *commodities*, nos últimos 20 anos, desde a pequena revolução econômica operacionalizada a partir dos anos 1850, alguma coisa havia mudado. As novas gerações já eram mais cosmopolitas e mais suscetíveis às influências das culturas inglesa e francesa. O Rio de Janeiro estava na vanguarda do país em termos de modernização. A cidade vinha ganhando sistematicamente a abertura de novas ruas e avenidas, calçamento, iluminação a gás, linhas de bonde... Seguindo as tendências da moda europeia (roupas, penteados, perfumes...), abriam-se solares, cassinos, salões de bailes etc. Surgiram confeitarias, charutarias, livrarias, hotéis, teatros, cabarés. Nunca antes o país havia sido envolvido por uma febre de transformações tão intensas como as que ocorreram entre os anos 1850 e 1870. Nesses 20 anos, deu-se início à longa passagem à urbanização e à cultura das cidades. Em um ambiente assim, a vida rural tradicional e a escravidão começaram a sofrer a pressão imensa da mudança. O país se dividiu, desse modo, entre duas mentalidades, que passaram a se hostilizar reciprocamente. Eram dois mundos em guerra permanente. A dinamização do consumo interno aumentou as receitas da Monarquia, cuja renda advinha — o grosso — das exportações de café, o que também mantinha o sistema nas mãos dessa elite. Para a Monarquia, a diversificação econômica e a modernização do país renderiam cada vez mais dividendos. O latifúndio gerava riqueza para poucas famílias. A indústria, o comércio e o trabalho assalariado gerariam mais poder aquisitivo e girariam a roda da economia: quanto maior o mercado consumidor, maior a produção, maiores as vendas, que gerariam mais empregos, que gerariam mais consumo e assim infinitamente, na lógica de uma sociedade capitalista liberal. Essa era a geração da Princesa Isabel, que nasceu em 1846 e cresceu numa sociedade carioca que se encontrava relativamente diversificada, mais urbana e já crítica em relação à presença do trabalho escravo. Para a Princesa Isabel, estadista e herdeira do trono, era claro que a Monarquia deveria seguir o fluxo das mudanças e se conectar com o mundo novo.

Nasce o Movimento Republicano

O Movimento Republicano nasce em 1871, exatamente porque a elite escravocrata e latifundiária passa a sentir que seu poder político e econômico estava declinando. A orientação política da Princesa Isabel apontava para um norte completamente oposto daquele que até então vicejava. Seu pensamento liberal denunciava que o futuro seria permeado por mudanças profundas. Não só porque ela queria, mas porque a outra elite que despontava — liberal, urbana, voltada

CAPÍTULO TRÊS: PERÍODO MONÁRQUICO

para o comércio e a indústria —, à medida que enriquecia, buscaria seu quinhão na disputa pelo poder. Essas duas elites passaram a medir forças e a travar uma batalha pelo poder. Restava à Monarquia definir de que lado estaria.

Uma das características mais importantes do Movimento Republicano era o federalismo. No Manifesto Republicano de 1873, pode-se ler que "no Brasil encarregou-se a natureza de estabelecer o princípio federativo". O sistema federativo interessava aos paulistas, sobretudo porque, além de reduzir o poder pessoal do imperador, ele significava uma espécie de separação das diversas regiões e províncias brasileiras. Ao contrário do intuito de unir estava o espírito separatista. Era como se, com o federalismo, a província de São Paulo fosse se livrar do resto do Brasil e viver uma vida autônoma. Não é por acaso que, depois da Proclamação da República, o início do regime federalista e o início da *República do Café com Leite* — em que se alternavam paulistas e mineiros no poder —, o desenvolvimento da Região Sudeste foi infinitamente superior ao do Nordeste, por exemplo.

Terceira Regência ou Terceiro Reinado

Entre os anos 1878 e 1881, a Princesa Isabel morou na França, que havia recém-saído da Comuna de Paris em 1871 e onde, portanto, as ideias fervilhavam. Em 1878, houve em Paris a Exposição Universal, em que foram

Lei N. 3353 de 13 de Maio de 1888.

Declara extincta a escravidão no Brasil

A Princeza Imperial Regente em Nome de Sua Magestade o Imperador o Senhor D. PEDRO II, Faz saber a todos os subditos do IMPERIO que a Assemblea Geral Decretou e Ella sancionou a Lei seguinte:

Artigo 1º É declarada extincta desde a data d'esta Lei a escravidão no Brasil.

Artigo 2º Revogam-se as disposições em contrario.

Manda portanto a todas as autoridades, a quem o conhecimento e execução da referida Lei pertencer, que a cumpram e façam cumprir e guardar tão inteiramente como n'ella se contem.

O Secretario de Estado dos Negocios d'Agricultura, Commercio e Obras Publicas e Interino dos Negocios Estrangeiros, Bacharel Rodrigo Augusto da Silva, do Conselho de Sua Magestade o Imperador, o faça imprimir, publicar e correr.

Dado no Palacio do Rio de Janeiro, em 13 de Maio de 1888, 67º da Independencia e do Imperio.

Princeza Imperial Regente

Rodrigo A. da Silva

Carta de Lei, pela qual Vossa Alteza Imperial Manda executar o Decreto da Assemblea Geral, que Houve por bem sancionar declarando extincta a escravidão no Brasil, como n'ella se declara.

Para Vossa Alteza Imperial ver.

Lei Áurea

CAPÍTULO TRÊS: PERÍODO MONÁRQUICO

mostradas as novidades do comércio, da ciência e da indústria. No retorno ao Brasil, uma sociedade escravocrata, o anacronismo e o atraso socioeconômico ficaram evidentes. Os anos em Paris foram para a Princesa Isabel o que a estada em Londres havia sido para Mauá, na década de 1840, ou seja, transformadores, sabáticos. Em 1882, ela encampa a ideia dos fundos de emancipação, visando arrecadar dinheiro para comprar e libertar escravos. Em 1885, certamente por meio de sua ação nos bastidores, o imperador promulga a Lei dos Sexagenários.

Em 1887, o imperador sofre um colapso, e a fragilidade de sua saúde é evidente. Fica cada vez mais próximo o período de transição do segundo para o terceiro reinado. Na ocasião, a Princesa Isabel encontrava-se em viagem pela Europa enquanto o imperador adoecia gravemente. Ela retorna e o convence a ir se tratar no Velho Continente. Tem início, nesse momento, a Terceira Regência da Princesa Isabel. Desde o início dessa sua Terceira Regência, a princesa vinha cobrando dos parlamentares uma solução para a questão da escravidão, além de outras demandas, como a melhoria da infraestrutura do país — estradas e portos — e a imigração. Nessa década de 1880, haviam entrado no Brasil mais de 1.500.000 imigrantes oriundos de diversos países. Esses imigrantes ajudariam a construir a economia e a diversidade cultural do país ao longo do século XX. Nesta última década do Império houve também, não por acaso, um aumento significativo no número de estabelecimentos comerciais e industriais no Brasil, sobretudo voltados para a indústria têxtil.

13 DE MAIO DE 1888

No início de 1888, a Princesa Isabel aceita o pedido de demissão do Barão de Cotegipe, primeiro-ministro do Brasil e forte opositor à ideia do fim da escravidão. É convocado para seu lugar João Alfredo Correia de Oliveira, com quem a princesa já havia trabalhado em sua Primeira Regência (1871) e quando fizeram passar a Lei do Ventre Livre. No dia 1º de abril de 1888, a princesa organiza uma festa em Petrópolis para libertar escravos comprados com o fundo de emancipação. Era o ensaio geral.

No dia 3 de maio de 1888, durante a Fala do Trono, discurso que abre os trabalhos da Câmara e do Senado, a princesa deixou claro que aquele seria um ano decisivo na questão da escravidão, ao dizer, "a extinção do elemento servil é hoje uma aspiração aclamada por todos". Na Câmara, o projeto foi votado e aprovado entre os dias 8 e 10 de maio. No Senado, o projeto foi votado e aprovado entre os dias 11 e 13 desse mês. A lei é composta de dois artigos diretos e retos:

Art. 1º: É declarada extinta desde a data desta lei a escravidão no Brasil.

Art. 2º: Revogam-se as disposições em contrário.

Esse projeto da Princesa Isabel não significa apenas o fim da escravidão no Brasil; seu significado é muito mais profundo. Passamos a viver nesse momento, segundo palavras de Sérgio Buarque de Holanda, entre duas eras, uma definitivamente morta e outra que lutava por vir à luz. A questão que colocamos é a seguinte: caso a Lei Áurea tivesse previsto a indenização para os

CAPÍTULO TRÊS: PERÍODO MONÁRQUICO

proprietários de escravos, que seriam despojados dos seus bens, teriam eles conspirado para o fim da Monarquia e para a Proclamação da República?

UM PAÍS DIVIDIDO AO MEIO

Poucas vezes no Brasil se viu uma sociedade tão polarizada como em 1888-1889. O fim da escravidão é um divisor de águas na história do país e talvez o ato mais revestido de sentido de toda a nossa história. O avanço da modernização (a partir de 1850), de um lado, e a resistência das heranças coloniais, de outro, numa espécie de duelo: o pensamento liberal, o industrialismo, o comércio, a vida urbana contra o ruralismo, o latifúndio, o escravismo, o patriarcalismo.

Desse modo, fica claro que, no processo de passagem da Monarquia à República, a questão se restringia a uma disputa pelo poder entre duas elites que estavam se comendo vivas. Percebem-se também nesse processo duas questões presentes na política nacional. A primeira: o povo não foi consultado; e a segunda: as mudanças acontecem no Brasil mediante um conflito ou um acordo entre poderosas elites econômicas que são também donas do poder. O povo fica fora, a tudo assistindo, bestializado.

UMA CRONOLOGIA SUMÁRIA DO GOLPE

O golpe militar que vai instaurar a República no Brasil começa a se desenrolar no dia 9 de novembro de 1889.

Na noite desse dia ocorreram dois eventos que representam bem o grau a que havia chegado a polarização da sociedade brasileira iniciada em 1888. De um lado — na ilha Fiscal —, a Monarquia comemorava, junto com toda a burguesia carioca (entre outras coisas), a grande conquista que havia sido a promulgação da Lei Áurea. De outro — no Clube Naval —, militares e alguns civis reuniam-se para conspirar.

O primeiro-ministro do Brasil era Afonso Celso de Assis Figueiredo, o Visconde de Ouro Preto. O Marechal Floriano Peixoto, ajudante geral do Exército, era o responsável pela segurança do ministério. Toda a movimentação — pelo menos por parte do Marechal Deodoro da Fonseca — era no sentido de depor apenas o ministério, não atentar contra a Monarquia. A condição, no entanto, para que se iniciasse qualquer motim, exigida por Deodoro, foi a obrigatoriedade da anuência de Floriano Peixoto. No dia 13 de novembro, Deodoro chama Floriano e diz que havia tomado a iniciativa de conspirar contra o ministério e que colocaria em curso, em breve, uma marcha para derrubá-lo. Floriano é imediatamente cooptado a participar do golpe.

O 15 DE NOVEMBRO

Na manhã do dia 15 de novembro de 1889, a tal marcha para derrubar o ministério se inicia no Campo de Santana. Deodoro encontrava-se muito doente e só se apresenta na última hora. Sem ele, a marcha simplesmente não se realizaria. Quando chega ao quartel-general, onde todo o ministério estava reunido, a marcha é recebida como se fosse um desfile cívico. Não houve

Marechal Deodoro da Fonseca

qualquer resistência. Pudera! À frente vinha um mito, um veterano da Guerra do Paraguai, o homem mais importante das Forças Armadas no Brasil depois da morte do Duque de Caxias. Os jovens que haviam há pouco assentado praça e guardavam os portões do quartel bateram continência para o marechal e lhe franquearam a entrada quando a ordem era barrá-lo. O primeiro-ministro Ouro Preto exasperou-se com a facilidade com que Deodoro havia chegado e entrado no quartel. Floriano observava tudo sem mover um músculo. Deodoro, então — cara a cara com Ouro Preto —, anuncia que aquele ministério estava demitido; porém, faz questão de dizer que, "quanto ao imperador, tem minha dedicação, sou seu amigo, devo-lhe favores, seus direitos serão respeitados e garantidos". Para Deodoro, a missão se encerrava ali. Ministério deposto, Monarquia intocada e vida que segue.

Crônica de uma República Não Proclamada

O imperador foi avisado por telegrama, em Petrópolis, de tudo o que havia ocorrido: o ministério estava deposto e era preciso tomar providências.

Já no Rio de Janeiro, estabeleceu-se, no Paço Imperial, um gabinete para gerir a crise. Estava tudo sob controle, tratava-se apenas de arranjar um primeiro-ministro que fosse simpático nem tanto às Forças Armadas, mas a Deodoro. Este, sim, era um fato novo. A queda ou a troca de ministérios era corriqueira, mas

CAPÍTULO TRÊS: PERÍODO MONÁRQUICO

nunca havia ocorrido por intervenção de outro que não o imperador.

O ministro deposto — Ouro Preto — indicou ao imperador o nome de Gaspar Silveira Martins, que se encontrava em Santa Catarina. O nome do experiente José Antônio Saraiva era o mais indicado para contornar a crise. Desafeto histórico do Marechal Deodoro, mesmo imediatamente descartado por D. Pedro II, o nome de Silveira Martins para compor o novo ministério foi um divisor de águas na história do golpe republicano.

Alguém do Gabinete de Crise fez com que a mera sondagem em torno do nome de Silveira Martins chegasse aos ouvidos de Benjamin Constant. Ato contínuo, Benjamin — que procurava convencer Deodoro a avançar para além da deposição do ministério e caminhar em direção à República — havia encontrado, enfim, o impulso que faltava para despertar a ira do marechal contra a Monarquia. Em qualquer momento entre a madrugada e a manhã do dia 16 de novembro, Deodoro cedeu às pressões dos republicanos e, por um capricho pessoal, mais do que por uma convicção política, resolveu pela queda da Monarquia e a instauração da República. Não houve revolução nenhuma, tampouco participação popular. E, por mais que tente, o quadro pintado por Benedito Calixto sobre o 15 de novembro de 1889 consegue apenas exprimir com cores idílicas um episódio que, na verdade... não existiu.

A transição da Monarquia para a República no Brasil ocorreu de forma quase imperceptível. Foi uma farsa. Não alterou em nada a rotina do povo, da cidade ou do país. Não passou, portanto, de um arranjo de forças políticas e econômicas que vinham se digladiando desde o 13 de maio de 1888 com o fim da escravidão; essa, sim, uma revolução social.

CAPÍTULO QUATRO

Período Republicano

1889 — 2015

O GOVERNO PROVISÓRIO
Instituída a República, criou-se o chamado Governo Provisório, constituído por Deodoro da Fonseca e Floriano Peixoto. A forma federativa deslocava necessariamente o foco do poder — centrado durante a Monarquia na figura do imperador e na capital do país — para os estados, para a figura dos governadores e, consequentemente, para os grupos políticos locais.

Até que pudesse ser convocada a Assembleia Constituinte, o Governo Provisório nomeou as chamadas Juntas Governativas nos estados. A Assembleia Constituinte só se realizaria no ano de 1891. Entre 1889 e 1891 — um curto espaço de tempo —, Deodoro passou de herói a vilão do Movimento Republicano. As Juntas Governativas, instituídas por Deodoro de acordo com seus caprichos pessoais, não contemplaram os interesses das elites locais. Preteridas, levantaram-se contra o que acusavam de medidas centralizadoras de Deodoro.

Quando se aproximavam as eleições constitucionais para eleger o primeiro presidente da República — com Deodoro como candidato e até poucos dias antes o único —, eis que o estado de São Paulo lança a candidatura de Prudente de Moraes, tendo como vice Floriano Peixoto. Deodoro venceu as eleições, mas não seu vice. Para vice venceu Floriano Peixoto, da chapa de Prudente de Moraes.

Irado com a petulância de São Paulo em tê-lo afrontado apresentando outro candidato, Deodoro dá o troco. Todos os governadores pertencentes a grupos oposicionistas foram afastados, e nomeados outros, indicados por Deodoro. Em São Paulo, por exemplo, foi delegado o poder a Américo Brasiliense, em detrimento de Jorge Tibiriçá, que foi demitido por Deodoro.

A Assembleia Constituinte, que deveria ser dissolvida, tornou-se ordinária. Diante da forte oposição que recebeu por essa manobra, Deodoro dissolveu o Congresso. Com essa atitude, ele se tornou aqui o que sempre desejou ser: praticamente rei.

A Oligarquia Paulista no Poder

Assim como tinha feito com a Princesa Isabel e com o Conde d'Eu, a elite cafeicultora paulista articula um golpe contra Deodoro. Rei morto, rei posto, rei morto

CAPÍTULO QUATRO: PERÍODO REPUBLICANO

novamente. Diante das fortes pressões que recebe e da falta de apoio, Deodoro renuncia em 23 de novembro de 1891. Nesse dia, diante das circunstâncias, deve ter-se arrependido de conspirar contra D. Pedro II. Entre as principais causas da queda de Deodoro estão justamente "as dissensões surgidas em torno da aprovação de algumas medidas fundamentais à ordem federativa, dificultada pelo presidente da República".[20]

Como se pode ver, tudo que se interpusesse entre a elite paulista e seu projeto de poder era imediatamente alijado, eliminado. Floriano governaria até 1894, quando então passa o poder para os paulistas em 15 de novembro de 1894, com a eleição de Prudente de Moraes. Essa chegada ao poder da elite cafeeira paulistana fecha um ciclo que havia começado em 1870 com o Manifesto Republicano.

Entre 1894 e 1930, essa elite vai se apoderar do Estado brasileiro e elevar até a última potência seu aparelhamento. O intervencionismo e o protecionismo estatal a um setor da cadeia produtiva era o que havia de mais retrógrado e conservador num mundo onde o liberalismo econômico e político viviam o auge. O Brasil tornou-se assim uma espécie de ornitorrinco, um ser sem forma definida.

O principal alvo dos republicanos após a Proclamação da República será o Marechal Deodoro. Todos sabiam que ele era mais monarquista que o imperador deposto. Na verdade, ele havia sido útil como elemento aglutinador das Forças Armadas na articulação do golpe contra a Monarquia. Efetivado o golpe, passava ele a ser o elemento a se extirpar. A menina dos olhos dos republicanos era o federalismo, que, na cabeça deles, seria mais um separatismo do que uma união das províncias transformadas em estados. A autonomia que os estados teriam e a possibilidade de eleger governadores — na Monarquia, eles eram indicados pelo imperador — constituíam o cerne do desejo dos republicanos. O federalismo foi, antes, uma forma que o estado de São Paulo, sobretudo, encontrou de se livrar do Brasil.

A República do Café com Leite

Em 1894, Prudente de Moraes, representante dos grandes produtores de café do estado de São Paulo, assume a Presidência da República. É o primeiro presidente civil da República depois de dois presidentes militares. O que se percebe é que esses presidentes ficaram no poder até que se dissipasse toda e qualquer resistência ao golpe contra a Monarquia.

Antônio Conselheiro foi a última das vozes dissonantes que os republicanos acreditavam que se colocava entre eles e seu projeto de poder, ou seja, um obstáculo a ser superado. Canudos passou de um problema local para um problema nacional quando começou a ser tratado como um foco de restauração da Monarquia — o que não era. E foi então — de um lado, em nome desse horror dos republicanos ao contraditório e, de outro, o seu amor ao poder recém-conquistado — que ocorreu uma das maiores tragédias da história do Brasil. Em 1897, uma força nacional com cerca de 8 mil homens munidos com o que

CAPÍTULO QUATRO: PERÍODO REPUBLICANO

havia de mais moderno no país em termos de armamento invadiu a cidade de Canudos. Em uma semana, 25 mil brasileiros, entre homens, mulheres e crianças, pauperizados pela miséria e pela duríssima vida no sertão, foram fuzilados, degolados, trucidados e dizimados. Para os republicanos, o episódio não passou de uma luta justa entre a civilização e a modernidade — de que eles eram arautos — contra o atraso, o retrocesso, a barbárie. Euclides da Cunha cobriu a batalha tanto como jornalista quanto como escritor. O que viu está exposto no livro *Os sertões*, obra-prima da literatura brasileira.

Caladas as vozes e na certeza de que nenhuma revolução restauradora ou revolta ocorreria, os militares devolvem aos fazendeiros cafeicultores escravistas de São Paulo o poder e o prestígio que haviam perdido com o 13 de maio de 1888. A partir de 1894, portanto, tem início a República do Café com Leite, ou seja, a sucessão entre São Paulo e Minas Gerais na Presidência da República. Nesse sentido, sucederam-se no poder os seguintes presidentes: Prudente de Moraes (1894-1898), paulista; Campos Sales (1898-1902), paulista; Rodrigues Alves (1902-1906), paulista; Afonso Pena (1906-1909), mineiro; Nilo Peçanha (1909-1910), carioca; Hermes da Fonseca (1910-1914), gaúcho; Venceslau Brás (1914-1918), mineiro; Delfim Moreira (1919), mineiro; Epitácio Pessoa (1919-1922), paraibano; Arthur Bernardes (1922-1926), mineiro; Washington Luís (1926-1930), carioca radicado em São Paulo; e Júlio Prestes (1930), paulista, que não chegou a assumir por causa da Revolução de 1930.

A política de queima do café no porto de Santos (Foto "Gosto Amargo", 1930)

Acervo de Laure José Giraud

A Primeira República

O país que emerge do golpe militar republicano não difere em quase nada do que foi o Brasil no período monárquico. O sentido do golpe, aliás, foi manter as coisas exatamente como eram no período monárquico. O tão arvorado federalismo, pelo qual tanto clamavam os republicanos desde o Manifesto de 1870, não significou, na realidade, quase nada. Não trouxe nenhum benefício imediato para o conjunto dos estados da nação; pelo contrário, alguns foram completamente abandonados e esquecidos. O Brasil do final do século XIX era "um ajuntado de unidades primário-exportadoras em vários estágios de evolução, dependente cada uma dos embalos da demanda externa para a determinação de seu peso e importância na economia do país [...], cada unidade produtora atrelava-se ao mercado internacional, indiferente à sorte das demais e independente delas".[21]

De acordo com o instituído na Constituição de 1891, os estados passavam a deter o direito de negociar diretamente com os importadores no exterior. Determinavam seus próprios impostos de importação etc. Na prática, cada estado foi lançado à sua própria sorte, e a descentralização de poder deu oportunidade para que as oligarquias regionais aparelhassem o Estado e conduzissem os negócios públicos como se fossem privados.

O aparelhamento do Estado pela classe cafeicultora em São Paulo, com a Proclamação da República, nada mais foi do que uma questão de sobrevivência. Ela estava reagindo, ao patrocinar o golpe republicano, contra a diversificação da economia e a inclusão inevitável dos novos grupos sociais emergentes no cenário da política nacional, o que certamente dificultaria o aparelhamento do Estado para servir apenas a seus interesses de classe. A região produtora de café, portanto, devido à valorização do produto no mercado externo, era a bola da vez. O Movimento Republicano lutava, no fundo, para promover a autonomia dessa região em relação à centralização do poder da Monarquia. Instituída a República, a "Federação surge em atendimento às necessidades da expansão e dinamização da economia cafeeira [...] toda ação estatal no primeiro período republicano (1889-1930) vai, portanto, corresponder ao desenvolvimento e às necessidades desse novo setor econômico".[22]

A República instaura, no Brasil, uma política *sui generis*. O *laissez-faire* do liberalismo europeu aqui não teve vez. Vigorou um sistema de protecionismo do Estado a um setor apenas da economia, aquele que melhor aparelhasse o Estado, em detrimento dos demais. O *laissez-faire* foi anulado por medidas internas completamente adversas às que pregavam o liberalismo econômico europeu — a livre concorrência, o livre comércio, a intervenção mínima do Estado. Quando foi preciso, a classe dominante brasileira soube anular este princípio básico do liberalismo econômico, que é a não intervenção do Estado na economia. Fazia isso legislando em causa própria com a criação de políticas de preços e do nível de renda dos produtores de café. Esse tipo de política sufocou a livre concorrência e foi usado de forma sistemática ao longo de toda a Primeira

República. Em 1929, com a crise internacional, esse aparelhamento será levado às últimas consequências na tentativa de proteger os produtores de café que estavam em crise. Não por acaso, nesse contexto de concessão explícita de privilégios, num momento de crise econômica, a um setor apenas da cadeia produtiva, estoura — como veremos — a Revolução de 1930.

A CRISE DE 1929

O principal mercado consumidor do café brasileiro era os Estados Unidos; desse modo, a quebra da Bolsa de Nova York, em 1929, vai reverberar gravemente sobre o Brasil. O café entra em crise, e as exportações do produto, que no ano de 1929 atingiram a cifra de US$ 445 milhões, em 1930 caíram para US$ 180 milhões. Era uma tragédia, pois, com uma economia pouco diversificada, o café representava 75% das nossas exportações.

A cotação da saca do café no mercado internacional, que já vinha oscilando ano a ano, teve uma desvalorização de 90% em 12 meses. Diante desse cataclismo, a oligarquia paulista acionou seus mecanismos compensatórios, que funcionavam da seguinte forma: "A economia havia desenvolvido uma série de mecanismos pelos quais a classe dirigente cafeeira lograra transferir para o conjunto da coletividade o peso da carga das quedas cíclicas do valor do café."[23]

Nesse sentido, para cobrir o prejuízo dessa elite de cafeicultores paulistas, o governo federal comprou grande parte da produção e queimou 80 milhões de sacas de café.

Por trás da alegação de que a diminuição da oferta levaria ao aumento do preço internacional, estava, no fundo, sendo colocado em marcha o tal mecanismo compensatório, revelado por Celso Furtado.

A Crise Política da Oligarquia Paulista

O café estava destinado a seguir, no Brasil, o mesmo roteiro das demais culturas aqui desenvolvidas, cujos ciclos utilizavam quase sempre o seguinte itinerário: uma prosperidade inicial meteórica, seguida de períodos de estagnação e, por fim, a decadência completa e o abandono. O desleixo com esse tipo de exploração extensiva é possível ser observado desde o princípio: "Foi assim com o pau-brasil, com a cana-de-açúcar, com o ouro e os diamantes, e vai ser assim com o café."[24] O resultado foi sempre e invariavelmente o mesmo: abandono da cultura em questão, empobrecimento e rarefação demográfica.

Todas as formas de remediar a crise não surtiram o menor efeito, e a oligarquia cafeeira paulista se viu na iminência do fim. Com a crise econômica, a ruína e o fundo do poço, surgiu também o espírito de dissidência. O clima fúnebre se generalizou, e as polarizações e incompatibilidades, que antes se contornavam em nome dos bons negócios para todos, saltaram aos olhos.

O último presidente da Primeira República no Brasil foi Washington Luís (1926-1930). No espírito da República do Café com Leite, o próximo presidente na sucessão de 1930 deveria ser necessariamente um mineiro, mas São

CAPÍTULO QUATRO: PERÍODO REPUBLICANO

Paulo lançou a candidatura de Júlio Prestes num sinal inequívoco de ruptura com Minas Gerais e visando defender — num período de crise e escassez — os interesses de São Paulo. Era o salve-se quem puder. Preteridos, os mineiros uniram-se a João Pessoa (paraibano) e a Getúlio Vargas (gaúcho) numa aliança (Aliança Liberal) contra a candidatura de São Paulo. No dia 1º de março de 1930, Júlio Prestes vence as eleições em meio a denúncias de fraude. Em 26 de julho de 1930, o candidato a vice de Getúlio, João Pessoa, foi assassinado no Recife. Em 3 de outubro, apoiado pelas Forças Armadas, Getúlio Vargas inicia a Revolução. Em 24 de outubro, Washington Luís cede e, em 3 de novembro de 1930, Getúlio Vargas assume o Governo Provisório. Era o fim do primeiro período republicano no Brasil.

A REVOLUÇÃO DE 1930 E A SEGUNDA REPÚBLICA

Em 1930, ao dissolver o Congresso, Getúlio assume os poderes Executivo e Legislativo em todas as esferas. Todos os governadores são demitidos e interventores federais, nomeados. Consumada a Revolução, o país fica em uma espécie de limbo jurídico porque a situação de Getúlio é inconstitucional — ele não foi eleito pelo povo. A centralização do poder fez lembrar os tempos de Deodoro no período inicial da República. Em 9 de julho de 1932, o estado de São Paulo, sentindo-se fortemente prejudicado pela Revolução, inicia uma luta armada — a chamada Revolução Constitucionalista — que durará até outubro de 1932.

Mesmo derrotados, acabam tendo sua principal reivindicação atendida. Primeiro, Getúlio nomeia como interventor no estado Armando Sales de Oliveira, paulista e civil. Depois, em maio de 1933, ocorrem as eleições para a Assembleia Constituinte, cuja Constituição seria promulgada em 14 de julho de 1934 — a terceira do Brasil. O sistema de Federação foi mantido, assim como as eleições diretas para presidente.

Em 15 de julho, pelo voto indireto, Getúlio Vargas é eleito presidente da República, com mandato até 1938. Acabava aqui o ciclo das oligarquias do café, e com ele a Primeira República no Brasil. A partir desse momento, a nova elite industrial, que havia se desenvolvido ao longo de todo o período da Primeira República, mas que jamais ganhara um papel de destaque, torna-se protagonista. É ela que vai aparelhar o Estado e fazer as engrenagens girarem em acordo com seus interesses.

Em 1936-1937, definiram-se os candidatos para a eleição de 1938, entre eles Armando Sales de Oliveira, de São Paulo. Dos quase 10 milhões de pessoas economicamente ativas no Brasil, nos anos 1930, 6,3 milhões dedicavam-se à agricultura (69,7%), apenas 1,2 milhão à indústria (13,8%) e outro 1,5 milhão ao setor de serviços (16,5%). Em um ambiente como esse, nota-se claramente como seria forte a possibilidade de as oligarquias rurais voltarem ao poder na eleição de 1938. Em um clima ainda convulsionado, comunistas de um lado e a oligarquia paulista de outro, ambos espreitando o poder, Getúlio busca um pretexto para nele se manter.

Getúlio Vargas

Arquivo da Presidência da República

A ALIANÇA NACIONAL LIBERTADORA
Em 1935 foi fundada a ANL (Aliança Nacional Libertadora), que passou a fazer forte oposição a Getúlio. A intensificação do movimento resultará na tentativa de golpe contra o governo em 1935. Logo debelado, o episódio da Intentona Comunista (novembro de 1935) reverberará fortemente no que diz respeito às medidas

repressivas e autoritárias do governo Vargas. No mesmo mês em que se cria a ANL, o Legislativo aprova a Lei de Segurança Nacional.

O elemento novo nos anos 1930-1935, com o desenvolvimento da urbanização e da industrialização, é o surgimento de uma numerosa classe de trabalhadores urbanos. Nos anos 1930, já havia um temor das elites industriais com a organização dos trabalhadores, fosse em sindicatos, fosse em partidos. A Revolução Russa de 1917 havia implantado o comunismo na União Soviética, e o ideal se espalhou pelo mundo. No Brasil, o Partido Comunista já havia sido fundado em 1922. Do ponto de vista dessas elites, a classe trabalhadora, os sindicatos, os partidos políticos e a ANL eram sinônimos. O programa da ANL, propagado aos quatro ventos, era para elas igualmente assustador: liquidação dos latifúndios, cancelamento da dívida externa, nacionalização das empresas estrangeiras, salário mínimo e jornada de trabalho de oito horas.

Em 13 de julho de 1935, depois de um discurso do presidente da ANL, Luís Carlos Prestes, defendendo esse programa, a ANL foi fechada e posta na clandestinidade. Em novembro, os membros da Aliança que conseguiram escapar das prisões e perseguições que se seguiram ao fechamento da instituição organizaram levantes contra o governo nas cidades do Recife e do Rio de Janeiro. Foram também violentamente combatidos. Em março de 1936, Prestes e sua companheira, Olga, seriam capturados, e ela, alemã, extraditada para a Alemanha nazista, onde morreria num campo de concentração.

CAPÍTULO QUATRO: PERÍODO REPUBLICANO

Não seria nesse momento, em que a elite industrial começava sua ascensão, que algo poderia se interpor entre ela e seus objetivos imediatos. A produção industrial havia crescido 50% entre os anos de 1929 e 1937 — claro, com financiamento e vantagens concedidos pelo governo visando à importação de insumos para a produção de bens de consumo. Por aí se pode ver o nível de importância que essa classe social havia conquistado nesse curto espaço de tempo — do ponto de vista econômico e, consequentemente, político.

Era preciso impedir, na eleição de 1937, de qualquer forma, o avanço das dissidências, não importava de que lado viessem — das oligarquias ou dos trabalhadores organizados. Como não surgiu nada de novo, tratou-se de plantar o Plano Cohen, que dizia respeito à organização de uma revolução comunista. Era um ardil apenas, plantado pelos golpistas. Fato é que a divulgação do Plano Cohen caiu como uma luva para as pretensões de Getúlio e de toda a burguesia industrial que recentemente havia chegado ao poder. Esse plano é para o Brasil o que o incêndio do Reichstag (Parlamento) foi para a Alemanha, em 1933. Atribuído a comunistas, o incêndio foi o pretexto para o autoritarismo e para a ascensão definitiva do nazismo. No dia 10 de novembro de 1937, o Exército cercou e fechou o Congresso Nacional: era o início do Estado Novo.

O Estado Novo

Há um velho ditado que diz: Não há nada que esteja tão ruim que não possa piorar. A nova (e quarta) Constituição brasileira — no Brasil muda-se a Constituição de acordo com a ocasião — centralizava os poderes nas mãos do presidente, que podia, entre outras arbitrariedades, dissolver o Congresso, criar decretos-leis, extinguir partidos políticos (todos foram colocados na clandestinidade), abolir a liberdade de imprensa (por meio da criação do DIP — Departamento de Imprensa e Propaganda), voltar à figura do interventor para governar os estados e alongar o mandato presidencial, que era de quatro anos na Constituição de 1934, mas que em 1937 passou a ser... infinito.

O Estado Novo representou o estreitamento da aliança entre a burguesia industrial e o governo após a grande instabilidade que, do ponto de vista dessa elite, significou, primeiro, a ação da ANL na tentativa de organização dos trabalhadores e do golpe de Estado, e, segundo, a possibilidade de retorno ao poder da oligarquia do café nas eleições que se realizariam em 1938. O objetivo do consórcio entre a elite industrial e o governo Vargas era um só: promover a industrialização do país, projeto que já havia sido esboçado na Revolução de 1930 e que se consolidara com a derrota da oligarquia do café em 1932, na Revolução Constitucionalista. No entanto, essa industrialização dependia inteiramente de uma intervenção intensiva do Estado no que dizia respeito a propiciar condições favoráveis para tal desenvolvimento, condições essas que podem ser resumidas

CAPÍTULO QUATRO: PERÍODO REPUBLICANO

em financiamento por meio da concessão de créditos e incentivos de toda ordem.

Mas a questão dos trabalhadores urbanos não poderia ser deixada de lado, pois a classe, em vias de se organizar, significava, do ponto de vista da elite industrial, um perigo em potencial. Para isso, Getúlio Vargas criou, em 1º de maio de 1939, a Justiça do Trabalho. E, em 1940, estabeleceu o salário mínimo como parte de uma política salarial que, como vimos, era uma das reivindicações da ANL em 1935. Era a primeira vez na história do Brasil, desde o fim do trabalho escravo, que o Estado brasileiro tomava medidas protecionistas em favor dos trabalhadores. Até então, a grande massa de trabalhadores permanecia numa espécie de ostracismo jurídico e social. No mesmo ano foi criado o imposto sindical, que daria um grande fôlego aos sindicatos, que, capitalizados, desenvolveram enormemente suas atividades junto aos trabalhadores e ganharam importância. Em 1943, foi criada a Consolidação das Leis do Trabalho, a CLT. Todas essas medidas complementavam aquelas tomadas no início dos anos 1930 com a criação do Ministério do Trabalho, em que já haviam sido estabelecidas algumas regras, como as que regulamentavam as juntas conciliatórias para disputas trabalhistas, o horário de trabalho no comércio e na indústria, o trabalho da mulher e de menores, e a regulamentação dos sindicatos.

O objetivo era o de institucionalizar o máximo possível as relações entre a classe operária, a classe patronal e o Estado. Não havia altruísmo nenhum no esforço governamental. A questão era que, se mantidos no ostracismo ou marginalizados, esses trabalhadores poderiam ser cooptados por influência dos anarquistas ou dos comunistas. Tratava-se de uma estratégia do governo e das elites para anular completamente tal possibilidade que, no jogo da forças sociais, se arriscaria a se tornar nociva. Na prática, antes que grupos subversivos o fizessem, o Estado acabou por fazer a cooptação da classe operária por meio da sindicalização. Os sindicatos poderiam ser mais bem vigiados, apolíticos a princípio, deveriam estar voltados para reivindicações profissionais entre patrões e empregados. Getúlio desenvolveu, como ninguém, um tipo de política populista *sui generis* que consistia em uma forma simplória: ora bater, ora assoprar. Entre 1930 e 1945, a era Vargas se desenvolveria num misto de avanços e retrocessos, de vanguarda e conservadorismo.

O FIM DO ESTADO NOVO E O INÍCIO DO PERÍODO DEMOCRÁTICO 1945-1964

Depois de 15 anos no poder, Getúlio havia tido tempo suficiente para sedimentar o caminho que fora aberto com a Revolução de 1930. No início dos anos 1940, começou a pressão da sociedade para o fim da ditadura e a volta do regime democrático, das eleições diretas e do constitucionalismo. Getúlio baixou um ato adicional à Constituição de 1937, em que decretava um novo código eleitoral que estabelecia eleições gerais em 2 de dezembro de 1945 para presidente da República e para a Assembleia Constituinte, que elaboraria a quinta Constituição do

CAPÍTULO QUATRO: PERÍODO REPUBLICANO

Brasil. Com as eleições marcadas, surgiram também novos partidos: UDN (União Democrática Nacional); PSD (Partido Social Democrático); PTB (Partido Trabalhista Brasileiro); PSP (Partido Social Progressista); PRP (Partido de Representação Popular), e outros saíram da clandestinidade, como é o caso do PCB (Partido Comunista Brasileiro).

A mudança, no entanto, não foi expressiva, já que o candidato do governo, o General Dutra, venceu a eleição. Mas como toda transição política no Brasil é complicada, mesmo essa que não produziria nenhuma ruptura foi marcada por uma tensão: antes da eleição, em novembro de 1945, um grupo pró-Vargas iniciou uma campanha para que Getúlio pudesse disputar a eleição. No auge de um jogo político complexo, Getúlio foi afastado do governo por um golpe militar no dia 21 de outubro de 1945. Um golpe militar, porém consentido, pois não houve reação alguma de Vargas, que se retirou da cena política. O golpe foi mais um arranjo provisório do que um imperativo categórico. Um estilo brasileiro de se fazer política: mudar para deixar tudo como está. Para garantir o seguimento da eleição, o poder foi entregue ao Ministro José Linhares, do Supremo Tribunal Federal (STF), até que se realizasse a eleição e Dutra — o vencedor — pudesse tomar posse. Vargas não pôde participar da eleição para presidente, mas elegeu-se senador, com votação expressiva. Mas o que mais chamou atenção no processo eleitoral foi a quantidade de votos recebidos pelo PCB, 10% do total. Em setembro de 1946, foi promulgada a nova Constituição brasileira. Assim que a euforia da eleição se assentou, o manto do conservadorismo voltou a ofuscar o curto verão da democracia brasileira. O Presidente Dutra iniciou uma forte repressão ao Partido Comunista, que acabou no ano seguinte (1947) com a cassação de seu registro no STE (Supremo Tribunal Eleitoral). Outra ação arbitrária foi a do Ministério do Trabalho intervindo em diversos sindicatos controlados por comunistas. Todos os 14 deputados e o senador eleitos democraticamente pelo PCB foram cassados, entre eles, os deputados Jorge Amado (escritor) e Carlos Marighella, e o senador Luís Carlos Prestes. Esse ódio aos comunistas se explica também — além das questões internas — pelo alinhamento do Brasil com os Estados Unidos no período inicial da Guerra Fria, que tem início no final da Segunda Guerra Mundial. Enquanto os políticos se engalfinhavam, o país continuava abandonado às moscas. Havia, na principal rodovia que liga a cidade de São Paulo ao Rio de Janeiro (Via Dutra), longos trechos sem asfalto ainda durante o ano de 1951. Se entre as duas principais cidades do país era assim, imagine país afora.

O Retorno e a Morte de Getúlio Vargas

No período entre 1945 e 1960, o governo brasileiro incentivou a formação e o desenvolvimento das chamadas indústrias de base, ou seja, aquelas que produziam matérias-primas, como chapas de ferro e de aço (para o abastecimento de pequenas indústrias), parafusos, pregos,

CAPÍTULO QUATRO: PERÍODO REPUBLICANO

ferramentas — que, por sua vez, abasteceriam as grandes indústrias (muitas delas multinacionais), como a automobilística. Nesse sentido, foi criada, em 1946, a Companhia Siderúrgica Nacional. A diversificação da economia exigia também o aumento e a difusão de matrizes energéticas que, no Brasil dos anos 1940, ainda eram bastante precárias. Já no governo Vargas — eleito em 1950, dessa vez pelo voto direto —, foram criadas diversas usinas hidrelétricas, tais como a de Paulo Afonso (Bahia) e a de Furnas (Minas Gerais). Outra empresa importante criada em 1953 por Getúlio foi a Petrobras, para fomentar outros ramos de pequenas indústrias que alimentariam as grandes com insumos derivados do beneficiamento do petróleo: borracha, tintas, fertilizantes, asfalto etc. Desse modo, o país assiste ao desenvolvimento relativamente rápido da industrialização e da urbanização. Todo esse desenvolvimento é fortemente incentivado pelo Estado por meio de benefícios e empréstimos concedidos pelo Banco Nacional de Desenvolvimento Econômico (BNDE), criado também em 1952. Era o Estado que, no fundo, mediante incentivos, capitalizava os empresários para diversificar e investir na economia brasileira. O problema era o modo como, desde as oligarquias do café, esses empresários tinham acesso aos benefícios concedidos pelo governo. Faziam parte de um estamento, ou seja, o que, segundo Max Weber, se resume em uma certa teia de relacionamentos que constitui um determinado poder com capacidade de interferir em determinado campo de atividade ou em determinado governo. No Brasil, o estamento "comanda

A HISTÓRIA DO BRASIL PARA QUEM TEM PRESSA

o ramo civil e militar da administração e, dessa base, com aparelhamento próprio, invade e dirige as esferas econômica, política e financeira. No campo econômico, as medidas postas em prática, que ultrapassam a regulamentação formal da ideologia liberal, alcançam desde as prescrições financeiras e monetárias até a gestão direta das empresas, passando pelo regime das concessões estatais e das ordenações sobre o trabalho".[25]

O desenvolvimento da indústria, o consequente aumento do número de trabalhadores e um cenário inflacionário no início dos anos 1950, fizeram com que uma força que estava relativamente adormecida desde o início do governo Dutra, em 1945, despertasse. As greves gerais — convocadas pelos sindicatos — pipocaram em várias regiões do país. O setor têxtil em São Paulo e o dos trabalhadores da estiva em Santos e no Rio de Janeiro foram os mais atingidos, arregimentando de 100 a 300 mil trabalhadores. Nesse contexto de embate com os trabalhadores — base do seu eleitorado —, Getúlio nomeia para ministro do Trabalho João Goulart, com a espinhosa tarefa de negociar um aumento de 100% no salário mínimo. Claro que uma proposta como essa atingiu diretamente a relação do governo Vargas com o setor empresarial e com parte do Exército, que divulgou um manifesto rechaçando tal medida. Diante da pressão, Getúlio aceita o pedido de demissão de João Goulart, mas mantém na íntegra o aumento dos salários, que anuncia no comício do dia 1º de maio. A partir desse momento, Getúlio atrai para si o ódio mortal dos setores contrários às medidas. Esse seria o

CAPÍTULO QUATRO: PERÍODO REPUBLICANO

início das pressões e das conspirações que desembocariam em suicídio no dia 24 de agosto de 1954. O vice-presidente, Café Filho, tornou-se presidente e permaneceu até outubro de 1955, quando se realizou nova eleição, vencida por Juscelino Kubitschek, e, para vice-presidente — na época as chapas eram diferentes para presidente e vice —, João Goulart.

JK

O suicídio de Getúlio marca o fim do período da política mais nacionalista no Brasil e o início de um projeto desenvolvimentista que lançava mão do apoio externo. Nos anos 1950, estava no auge a polarização iniciada no final da Segunda Guerra Mundial, entre Estados Unidos e União Soviética, a chamada Guerra Fria. O debate em torno do nacionalismo ganha força sobretudo entre os comunistas, uma vez que se colocavam contra qualquer interferência dos Estados Unidos no Brasil, fosse cultural, fosse economicamente. Desse modo, enquanto a esquerda pregava uma ruptura com o imperialismo norte-americano, o governo de Juscelino Kubitschek ia na direção oposta, ou seja, para viabilizar seu Plano de Metas, procurou atrair investimentos para o Brasil, por meio de empréstimos e da instalação de empresas estadunidenses. Na década de 1940, dos 41.236.315 habitantes, apenas 31,24% moravam em áreas urbanas, o que nos indica o incipiente processo de modernização implantado a partir

Juscelino Kubitschek

dos anos 1930, que mal havia despertado o interesse das pessoas pelo ritmo do desenvolvimento e da qualidade de vida urbana. Apenas a partir da década de 1950 esse quadro começa a se alterar, quando 24% da população rural migra para as cidades, 36%, em 1960;

CAPÍTULO QUATRO: PERÍODO REPUBLICANO

e 40%, em 1970, correspondendo nessas três décadas a 40 milhões de pessoas.

Até o ano de 1950, os meios de transporte mais utilizados no Brasil para passageiros e cargas eram o ferroviário e a cabotagem. Espalhados pelo país estavam mais de 25 mil quilômetros de ferrovias. Embora a Petrobras tivesse sido fundada em 1953, no governo Vargas, no final dos anos 1950 o Brasil ainda importava praticamente 100% do petróleo que consumia, e mesmo nos anos 1970, quando a empresa já operava havia duas décadas, a dependência do Brasil para as importações era de cerca de 80%. Com a política desenvolvimentista de JK, o país passa a trocar as ferrovias pelas rodovias com o imenso incentivo à fabricação de automóveis. Na década de 1950, grandes montadoras multinacionais abrem fábricas no Brasil, como é o caso da alemã Volkswagen, em 1953, e, nos anos seguintes, Mercedes-Benz, Ford e General Motors. Esse forte incentivo às indústrias automobilísticas estrangeiras se fez em detrimento de uma indústria nacional: a Fábrica Nacional de Motores. Criada em 1939 por Getúlio Vargas, a FNM — Feneme, como ficou conhecida — produziu sobretudo caminhões, mas alguns automóveis também nas décadas de 1950 e 1960. A forte concorrência das multinacionais, a falta de incentivo e de interesse do governo brasileiro fizeram com que a FNM fosse minguando até encerrar suas atividades no final dos anos 1970. Esse descaso com a FNM foi responsável pelo seguinte cenário atual: em 2015, as indústrias instaladas no Brasil receberam incentivos fiscais de cerca de R$ 21 bilhões e remeteram para o exterior cerca de R$ 50 bilhões em lucro e dividendos que poderiam ter ficado no país caso tivéssemos fábricas nacionais. Não é por falta de tecnologia, pois o Brasil tem uma das maiores empresas aeroespaciais do mundo — a Embraer — fundada em 1969, mas não tem um único automóvel nacional. Juscelino foi prefeito de Belo Horizonte e governador de Minas. Destaca-se, no período como prefeito, a construção da Pampulha, com projeto de Oscar Niemeyer. Já presidente, o *slogan* "50 anos em 5" dá um pouco o tom do que seria o governo de JK, a começar pela ousada construção de Brasília para se tornar a capital do Brasil. Uma cidade erigida do zero, com projetos de Lúcio Costa e Oscar Niemeyer, como nunca na história do Brasil se tinha visto. Tudo planejado, arquitetado, bem diferente do caos que sempre fora o desenvolvimento urbano no país. Arquitetura moderna, no entanto, para o usufruto dos ricos e para a contemplação dos pobres. A forte atuação do Estado, na gestão JK — inspirado no keinesianismo —, promovendo o desenvolvimento da infraestrutura do país e da industrialização, encaixava-se naquilo que ocorria no mundo nos anos imediatos ao pós-guerra, com a crise do liberalismo europeu. Consistia na defesa da intervenção estatal na economia para garantir um estado de bem-estar social que se resumia, sobretudo, no incentivo à produção e manutenção dos níveis de emprego.

O governo JK reflete a tentativa de transformar o Brasil definitivamente em um país urbano, industrial. Por isso, o forte incentivo à indústria automobilística,

CAPÍTULO QUATRO: PERÍODO REPUBLICANO

de um lado, e a cultura das cidades, de outro. Esses dois aspectos transparecem no investimento em estradas e na produção de automóveis. Brasília é inaugurada em 21 de abril de 1960, véspera do dia do descobrimento do Brasil.

João Goulart

Na eleição de 1960, o vencedor é Jânio Quadros e, mais uma vez, João Goulart vence para vice-presidente. A figura de Jango, com suas ideias socialistas tão perto do poder, incomodava as elites. A primeira vez que aparecera na vida pública nacional havia sido naquele derradeiro mandato de Vargas. No governo JK, voltara como vice-presidente, e agora em outra eleição sucessiva. No dia 19 de agosto de 1961, Jânio Quadros condecorou com a Grã-Cruz da Ordem Nacional do Cruzeiro do Sul ninguém mais, ninguém menos que Che Guevara. Dois anos antes, em 1959, a Revolução Cubana havia implantado o comunismo em Cuba.

Em plena Guerra Fria e com empresas e bancos norte-americanos tendo investido milhões de dólares no Brasil, essa aproximação de Jânio com Cuba e os antecedentes de João Goulart, já velho conhecido por suas posições de esquerda, fizeram com que se eriçassem os pelos dos militares e da burguesia brasileira. Depois de um período navegando em águas tranquilas no período JK, no meio desse novo caminho haveria tempestades. Todos de sobreaviso, todo cuidado era pouco; era preciso acautelar-se. O grande problema ou a chamada sinuca de bico, na qual se encontravam os donos do poder no Brasil, era: articular a saída de Jânio Quadros seria conduzir diretamente João Goulart à Presidência. Nesse jogo intenso que se iniciou pelo poder, onde tanto Jânio como Jango eram *personae non gratae*, as elites desenvolveram uma alternativa engenhosa. Uma conspiração.

A estabilidade política no Brasil sempre dependeu da relação que o presidente mantinha com os militares e com a elite econômica. O termômetro era sua aproximação ou distância dos sindicatos e dos movimentos sociais. A manutenção da chamada "ordem" era fundamental para arregimentar o apoio das elites econômicas e militares. Existe um ponto de equilíbrio que é a chave para todo aquele que queira permanecer no poder no Brasil, para todo governo. E a equação fundamental é manter as forças sociais sob controle, nutrir bom relacionamento com os militares e ser generoso com as elites econômicas. Todo governo que, de uma forma ou de outra, desequilibrou esse complexo equacionamento, essa intrincada polarização, pendendo demais para um lado ou para outro, caiu. Foi assim com Vargas e será assim, como veremos, com João Goulart. O problema do governo Juscelino era João Goulart, que estava atravessado na garganta da elite brasileira como uma espinha de peixe desde o mandato de Getúlio, quando, como vimos, foi ministro do Trabalho e pivô da grande oposição que incidiu sobre Vargas, levando-o ao suicídio.

Seis meses após o encontro com Che Guevara, o mandato de Jânio Quadros ruiu, segundo seu próprio depoimento, carcomido por forças poderosas. Visto

CAPÍTULO QUATRO: PERÍODO REPUBLICANO

agora, passados 60 anos, é possível inferir que, da forma que se deu, a renúncia de Jânio foi uma conspiração. A viagem de uma comitiva brasileira para países comunistas, como China e União Soviética, encabeçada por João Goulart, foi a gota-d'água para os opositores no Brasil. Na natureza, nada acontece de acordo com a vontade dos homens. Já na história, tudo acontece pela vontade deles. Somos nós que fazemos a história. Desse modo, a renúncia de Jânio Quadros aconteceu não "enquanto" Jango estava em viagem aos países comunistas, mas "porque" Jango estava em viagem aos países comunistas.

Ao mesmo tempo que a comitiva seguia seu périplo, no Brasil, Jânio Quadros era colocado contra a parede. Então, em 25 de agosto de 1961, Jânio renuncia. O primeiro passo estava dado. Para os militares, era importante que a renúncia de Jânio ocorresse no período da viagem de João Goulart. Na ausência do vice-presidente, que constitucionalmente deveria assumir o posto, quem assumiu foi o presidente da Câmara dos Deputados, Ranieri Mazzilli. O segundo passo também estava dado em direção ao golpe. Não tenha dúvidas, embora não haja documentos, de que tudo estava milimetricamente articulado. Os militares e as elites econômicas estavam esperando apenas a oportunidade, e ela surgiu no momento em que se começou a articular a viagem de João Goulart ao Leste Europeu e à China. Assim que o vice-presidente colocou os pés fora do país, a conspiração deslanchou. Contudo, o golpe militar só não se consumou porque surgiu entre os militares uma dissidência. No Rio Grande do Sul, surge uma resistência civil e militar ao golpe — João Goulart era gaúcho —, a chamada Campanha da Legalidade, encabeçada pelo então governador Leonel Brizola. Diante do impasse, decidiu-se que João Goulart só poderia assumir o poder se o regime de governo fosse alterado de presidencialismo para parlamentarismo. Em 2 de setembro de 1961, foi implantado o regime parlamentarista no Brasil, tendo como presidente da República João Goulart e como primeiro-ministro Tancredo Neves. Só assim os militares consentiram o retorno de Jango.

João Goulart, o Jango

CAPÍTULO QUATRO: PERÍODO REPUBLICANO

Em janeiro de 1963, no entanto, por meio de um plebiscito, João Goulart consegue fazer passar a volta do modelo presidencialista, sendo extinta, portanto, a figura do primeiro-ministro. Com plenos poderes, João Goulart parte para o ataque. Do outro lado, os militares, derrotados, conspiravam.

O GOLPE DE 1964

A partir dos anos 1950, sobretudo no governo JK, o forte incentivo à industrialização do país foi responsável por dois outros fenômenos correlatos. Primeiro, a urbanização, com a migração do trabalhador do campo para a cidade em busca de melhores condições de vida. Segundo, o aumento cada vez mais considerável — à medida que as indústrias iam surgindo, elas alavancavam também o setor de comércio e serviços — do número de trabalhadores e sua consequente sindicalização. Representantes de milhares de trabalhadores, essas centrais sindicais e sindicatos ganham força. Havia nessa classe social um apreço e uma preferência explícitos por João Goulart — o mesmo fenômeno que, nos anos 1930, tinha ocorrido com Getúlio Vargas. Já na campanha de 1955, João Goulart havia obtido mais votos como candidato a vice do que JK, o candidato a presidente. Estava claro que, mais dia, menos dia, Jango chegaria à Presidência. A diferença de tratamento do governo para com os trabalhadores — entre os anos 1920 e 1960 — pode ser ilustrada na famosa frase de

Washington Luís (de 1926), que dizia: "A questão social é caso de polícia."

A história do Brasil é uma viagem redonda — para tomar uma expressão de Raymundo Faoro — que retorna sempre ao mesmo lugar. Em 1963, João Goulart põe em marcha as chamadas Reformas de Base, que colocaram as elites em polvorosa e lhes causaram urticária. Nos planos do governo, estavam as reformas agrária, educacional — a introdução do método Paulo Freire —, fiscal — limitando a remessa ao exterior de lucros das empresas multinacionais —, eleitoral — que daria condições para a saída da ilegalidade do Partido Comunista —, entre outras. Essas reformas caíram como uma bomba. João Goulart era, definitivamente, um homem corajoso.

Cronologia sumária do golpe:

No dia 13 de março de 1964, João Goulart profere um discurso na Central do Brasil (Rio de Janeiro) para cerca de 200 mil pessoas, em que prega a reforma agrária e a nacionalização das refinarias estrangeiras de petróleo que operavam no Brasil.

No dia 31 de março, o General Olympio Mourão Filho é acionado. Havia sido ele também o responsável pelo falso Plano Cohen, que, como vimos, foi o motivo para a instituição do Estado Novo, em 1937. Tropas mineiras sob seu comando deslocaram-se para o Rio de Janeiro.

No dia 1º de abril de 1964, João Goulart estava em Brasília e resolve que partiria para Porto Alegre, onde, diante das circunstâncias, poderia organizar alguma reação.

CAPÍTULO QUATRO: PERÍODO REPUBLICANO 131

Nesse ínterim, o presidente do Senado, Auro de Moura Andrade, decreta a vacância da Presidência e dá posse, mais uma vez — já havia assumido em 1961, quando da renúncia de Jânio Quadros —, ao presidente da Câmara, Ranieri Mazzilli. Não houve resistência em Porto Alegre. Jango realmente resolveu desistir e partiu para o exílio no Uruguai. Neste dia 1º de abril de 1964 foi instituído o regime militar no Brasil, ferindo de morte, mais uma vez, a já combalida democracia brasileira.

O Brasil na Primeira Metade do Século XX

A crise de 1929 e a longa depressão que se prolongou até os anos 1930 promoveram a reestruturação de uma sociedade capitalista dependente e dedicada à produção agrícola para a exportação, que em linhas gerais pode ser definida da seguinte forma: 1) intensificação da urbanização e da industrialização; 2) o aumento considerável da migração para as grandes cidades como sintoma da decadência da economia agrária.

Outras inovações foram as medidas implementadas no plano social (legislação trabalhista), a reorganização e a modernização do aparelho do Estado, a incorporação de novos atores à cena política (camadas urbanas) e, com a crise do sistema oligárquico, a expansão das atividades industriais no país.

A Revolução de 1930, vista como episódio político específico, não passou, tanto na gênese quanto no desenvolvimento, de um caso típico de negociação entre elites.

Agora, como processo, desencadeou, na sua dimensão econômica, uma inegável expansão das atividades industriais e da cultura urbana. É justamente essa expansão, tanto das atividades industriais quanto da cultura urbana, que podemos denominar ruptura.

A partir de 1930, ocorreu apenas e tão somente uma mudança de elite no poder, a diferença em relação ao Estado anterior: "A atuação econômica, voltada gradativamente para os objetivos de promover a industrialização. A atuação social, tendente a dar algum tipo de proteção aos trabalhadores urbanos."[26]

Tomada como processo, a Revolução de 1930 representou a possibilidade de mudanças em uma estrutura política e econômica arcaica, cuja origem remonta ao início do sistema colonial. De lá para cá, as parcas transformações ocorridas não haviam ultrapassado os limites dos seus moldes tradicionais, como, por exemplo, na passagem da monocultura da cana-de-açúcar para o café, a manutenção do trabalho escravo.[27]

Em 1930, foi colocado em marcha um movimento conduzido pelas classes médias, pela burguesia urbana, comerciante e industrial, associadas com um setor descontente da própria oligarquia cafeeira — a mineira — que estava sendo superada com a revolução. Unindo um viés progressista e outro conservador, a revolução assinalou, de um lado, a abertura de um longo processo de transformação — a conexão, ainda que tardia, com a Revolução Industrial —, mudança que deveria abalar

CAPÍTULO QUATRO: PERÍODO REPUBLICANO 133

inexoravelmente as estruturas do Estado brasileiro, sua economia e sociedade. Porém, de outro lado, durante toda a década de 1930, foram apenas lançadas as sementes das mudanças. A modernização de um país não se faz da noite para o dia. Qualquer mudança de grande porte na economia e na sociedade de um país leva décadas para mostrar seus resultados. Em matéria de modernização, não existem fórmulas milagrosas, mas um trabalho contínuo e orientado para tal fim. Somente a partir da segunda metade dos anos 1940 é que essas sementes frutificariam e se pode considerar seriamente a presença de atividades que consolidariam o surgimento de uma sociedade e de uma cultura urbana e industrial. Somente a partir de então, com o final da Segunda Guerra Mundial, a sociedade brasileira se moderniza de fato em diversos setores e se inicia um processo que poderíamos chamar de uma sociedade de massa.

Para o surgimento dessa sociedade, contribuiu — além do desenvolvimento econômico — o surgimento de um poderoso sistema de informação e entretenimento, que não só formava opiniões e determinava o consumo, como criava uma rede (imprensa, rádios e jornais) pelo qual se divulgavam, nas grandes cidades, a cultura e o estilo de vida modernos.[28]

Como exemplo dessa difusão, podemos tomar as emissoras de rádio, que de 106 em 1944 passam para 300 em 1950; o cinema, em 1941, com a criação da Atlântida e, em 1949, da Vera Cruz, que incrementaram a produção cinematográfica nacional; as redes de televisão, a partir dos anos 1950; as revistas, como, por exemplo, *O Cruzeiro*, que, em 1948, atingia uma tiragem de 300 mil exemplares; os livros e os jornais, cujas tiragens cresceram vertiginosamente.

A Modernização Conservadora

Vamos em frente, seguindo a ideia de que a nossa história é uma procissão de milagres.[29] O milagre do ouro no século XVII, quando a economia açucareira tinha perdido dinamismo, o do café nos séculos XIX e XX, e agora "estamos percebendo que nossa industrialização não deixou de ser também um desses milagres: resultou, antes, de circunstâncias favoráveis, para as quais pouco concorremos, do que de uma ação deliberada da vontade coletiva".[30]

A modernização brasileira fora implantada da forma mais excludente possível. O desenvolvimento rápido de uma sociedade capitalista, industrial, urbana e de consumo não se havia estendido ao alcance da maioria da população, pelo contrário, e, assim, "o Brasil, que já chocara as nações civilizadas ao manter a escravidão até o final do século XIX, volta a assombrar a consciência moderna ao exibir a sociedade mais desigual do mundo. Não é por acaso que o termo *brazilianization* vai se tornar sinônimo de capitalismo selvagem".[31]

O mito dos Anos Dourados, na década de 1950, no governo JK, aliás, em todo o período chamado de democrático (1945-1964), é desmitificado pelos censos do

CAPÍTULO QUATRO: PERÍODO REPUBLICANO 135

IBGE de 1940, 1950 e 1960, que revelam a verdadeira cara do Brasil; na Região Norte, dos 1.462.420 habitantes, 738.255 eram analfabetos; na Região Nordeste, dos 9.973.642 habitantes, 6.354.777 eram analfabetos; na Região Sudeste, dos 15.625.953 habitantes, 8.246.553 eram analfabetos; na Região Sul, dos 12.915.621 habitantes, 5.210.823 eram analfabetos; na Região Centro-Oeste, dos 1.258.679 habitantes, 745.082 eram analfabetos.

Nas duas maiores cidades do país, o quadro era o seguinte: em São Paulo, dos 7.180.316 habitantes, 2.857.761 eram analfabetos; no Rio de Janeiro, dos 1.847.857 habitantes, 885.969 eram analfabetos.

Na década de 1940, das 9.098.791 unidades prediais e domiciliares no Brasil, 2.926.807 (32%) eram de alvenaria e 5.933.173 (65%), de madeira. A cara do Brasil, portanto, infelizmente, não era a arquitetura modernista de concreto armado de Oscar Niemayer. A grandiosidade dos edifícios públicos e a moderna arquitetura a eles inerente contrastavam com a realidade nua e crua, em que a maioria das casas era de madeira, mesmo nas capitais. A modernização do país ficou restrita à classe média alta; o povo estava completamente fora, alijado do processo.

Dos 1.994.823 prédios urbanos — habitados por 9.385.674 pessoas —, apenas 939.791 tinham energia elétrica; apenas 790.786 tinham acesso a água encanada; 819.770 a instalação sanitária; apenas 122.718 de seus moradores tinham telefone; 398.738, rádio; e 50.317, automóvel.

Dos 6.256.735 prédios rurais — habitados por 28.517.420 pessoas —, apenas 131.953 tinham iluminação elétrica, apenas 67.269 tinham acesso a água encanada, apenas 169.922 tinham instalação sanitária e apenas 10.323 de seus moradores tinham telefone, 34.503, rádio e 9.679, automóvel. A vida no Brasil, portanto, era extremamente precária, o país era predominantemente rural, atrasado e com pouquíssimo acesso aos bens de consumo e aos benefícios da modernidade. Comparado com Nova York, o abismo é gritante. Exemplo dos arranha-céus: o Chrysler Building (77 andares) foi finalizado em 1930, o Empire State Building (102 andares), em 1931, e o Rockefeller Center (72 andares) foi inaugurado em 1940.

A DITADURA MILITAR

Diante de um quadro em que se pode contemplar a situação da modernização brasileira até os anos 1950 — robusta e moderna, de um lado, e selvagem, excludente e arcaica, de outro —, a ditadura militar era a moldura que faltava para tornar a visão do quadro ainda mais *kitsch* e deprimente.

A ditadura militar no Brasil se estendeu de 1964 a 1984. Durante o período, sucederam-se no poder os seguintes presidentes (ordem cronológica): Castelo Branco (1964-1967); Costa e Silva (1967-1969); Emílio Médici (1969-1974); Ernesto Geisel (1974-1979); e João Figueiredo (1979-1984).

Uma semana após o golpe, para institucionalizá-lo, o regime militar publica o Ato Institucional Número 1, em 9 de abril de 1964, que trazia as seguintes justificativas:

CAPÍTULO QUATRO: PERÍODO REPUBLICANO

"Para demonstrar que não pretendemos radicalizar o processo revolucionário, decidimos manter a Constituição de 1946, limitando-nos a modificá-la apenas na parte relativa aos poderes do presidente da República, a fim de que este possa cumprir a missão de restaurar no Brasil a ordem econômica e financeira e tomar as urgentes medidas destinadas a drenar o bolsão comunista, cuja purulência já se havia infiltrado não só na cúpula do governo como nas suas dependências administrativas."[32]

Em 1967, como no Brasil tudo sempre começa do zero, houve a outorga de uma nova Constituição em substituição à de 1946. A nova Constituição proibia a organização partidária e impunha eleições indiretas para presidente. Além disso, concentrava poderes no Executivo. Esse era apenas o início; o recrudescimento da ditadura militar seria, nos anos seguintes, aperfeiçoado por sucessivos atos institucionais.

Passado, porém, o impacto inicial, começam a surgir focos de resistência à truculência e ao autoritarismo do regime militar. A maioria dos políticos, cujos nomes tinham prestígio — como João Goulart, Brizola e JK — e que estavam exilados, iniciaram uma tentativa de organização de uma resistência ao golpe a partir do exílio. No Brasil, o regime militar teve de enfrentar greves, manifestações, passeatas e até mesmo um movimento de resistência armada. Diante dessa reação de parte da sociedade contra o golpe, o regime baixa o mais repressivo de todos os atos institucionais: o AI-5 (13 de dezembro de 1968), em que se pode ler:

Art. 2º — O presidente da República poderá decretar o recesso do Congresso Nacional, das Assembleias Legislativas e das Câmaras de Vereadores, por Ato Complementar, em estado de sítio ou fora dele, só voltando os mesmos a funcionar quando convocados pelo presidente da República.

Art. 3º — O presidente da República, no interesse nacional, poderá decretar a intervenção nos estados e municípios, sem as limitações previstas na Constituição.

Art. 4º — No interesse de preservar a Revolução, o presidente da República, ouvido o Conselho de Segurança Nacional, e sem as limitações previstas na Constituição, poderá suspender os direitos políticos de quaisquer cidadãos pelo prazo de 10 anos e cassar mandatos eletivos federais, estaduais e municipais.

I — cessação de privilégio de foro por prerrogativa de função;

II — suspensão do direito de votar e de ser votado nas eleições sindicais;

III — proibição de atividades ou manifestação sobre assunto de natureza política;

IV — aplicação, quando necessária, das seguintes medidas de segurança:

a) liberdade vigiada;

b) proibição de frequentar determinados lugares;

c) domicílio determinado.

CAPÍTULO QUATRO: PERÍODO REPUBLICANO

Art. 6º — Ficam suspensas as garantias constitucionais ou legais de: vitaliciedade, inamovibilidade e estabilidade, bem como a de exercício em funções por prazo certo.

§ 1º — O presidente da República poderá, mediante decreto, demitir, remover, aposentar ou pôr em disponibilidade quaisquer titulares das garantias referidas neste artigo, assim como empregado de autarquias, empresas públicas ou sociedades de economia mista, e demitir, transferir para a reserva ou reformar militares ou membros das polícias militares, assegurados, quando for o caso, os vencimentos e vantagens proporcionais ao tempo de serviço.

Art. 7º — O presidente da República, em qualquer dos casos previstos na Constituição, poderá decretar o estado de sítio e prorrogá-lo, fixando o respectivo prazo.

Art. 10º — Fica suspensa a garantia de *habeas corpus,* nos casos de crimes políticos contra a segurança nacional, a ordem econômica e social e a economia popular.[33]

O AI-5 era devastador. Delegava ao presidente da República plenos poderes para cassar mandatos e suspender direitos políticos, decretar intervenção federal em estados e municípios, decretar recesso do Congresso por tempo indeterminado, assumindo assim as prerrogativas do Legislativo, entre outras arbitrariedades. A suspensão do *habeas corpus* para crimes políticos permitia a intervenção, censura e empastelamento de qualquer meio de imprensa que julgassem oposicionista ao regime militar. Intelectuais e artistas foram punidos por ter suas obras e liberdade de expressão tomadas como subversivas, e vários tiveram que se exilar.

Ditadura militar, 1964

Era mais uma vez o conservadorismo, o fisiologismo e o estamento cobrindo com seu manto obscuro a sociedade brasileira.

O MILAGRE ECONÔMICO

A partir do golpe de 1964, não por acaso, durante todo o período militar ocorreu o chamado Milagre Econômico Brasileiro. Um desenvolvimento econômico sem precedentes na história do país. As vozes dissonantes todas caladas, o sentimento de segurança

CAPÍTULO QUATRO: PERÍODO REPUBLICANO

generalizado e o apoio e incentivo do Estado permitiram que as elites industriais investissem sem medo. Desse modo, entre 1968 e 1973, o PIB do Brasil cresceu em números nunca vistos, na média de 11% ao ano. Entretanto, tal *milagre* só foi possível pelo endurecimento progressivo do regime militar e a segurança que isso representou para investidores nacionais e internacionais. Afastado o fantasma do comunismo e do populismo, investidores estrangeiros injetaram bilhões de dólares no Brasil. A grande indústria automobilística investiu em fábricas, e, com o incentivo do governo concedendo crédito aos consumidores — sobretudo os da classe média, pois a grande massa de assalariados estava excluída do processo —, cresceu na média de 30% ao ano.

Mas toda essa prosperidade econômica se deu em um clima sociopolítico falso, mantido artificialmente, com base na violência e no autoritarismo. Uma sociedade que vive permanentemente nessas condições de calma e paz não existe: é sinal de que ou tem um povo que vive sob regimes repressivos ou tem um povo que vive em condições deploráveis de educação e cultura e, consequentemente, incapaz de tomar consciência dos seus problemas sociais e econômicos.

À medida que aumenta a liberdade aos sindicatos, aos movimentos populares e à sociedade civil, as reivindicações, os protestos e a oposição ao sistema aumentam proporcionalmente. Desse modo, pode-se dizer que, durante os períodos democráticos no Brasil, a sociedade vivia convulsionada do jeito que deve viver uma sociedade com desigualdades sociais gritantes, escandalosas.

Fato é que, excluídas as condições normais nos anos 1970 — o direito ao contraditório da sociedade civil (com risco zero) —, a economia se expande vertiginosamente. No entanto, das 500 maiores empresas brasileiras, 71 eram americanas, 22 alemãs, 11 holandesas, 11 italianas, 9 inglesas. As multinacionais detinham mais de 50% das vendas, e o *ranking* do faturamento era o seguinte: das 10 empresas que mais faturavam no Brasil, apenas duas eram brasileiras.[34]

Desse modo, o milagre econômico durante a ditadura militar seguiu o padrão brasileiro de modernização: excludente e selvagem. De arautos do moralismo, da justiça e do desenvolvimento, os militares não passaram de um instrumento nas mãos da elite econômica — do seu estamento — para manter intactos seus interesses e privilégios, que viram ameaçados pelo governo de João Goulart.

O PERÍODO DE ABERTURA POLÍTICA

João Figueiredo assume no dia 15 de março de 1979. E, como não há mal que dure para sempre, em 25 de agosto dá o primeiro passo para o fim da ditadura militar no Brasil com a Lei da Anistia. A lei não pode ser considerada uma concessão dos militares, mas uma conquista da sociedade. Nesse mesmo final dos anos 1970 tem início

CAPÍTULO QUATRO: PERÍODO REPUBLICANO

uma série de greves e movimentos operários em função da forte inflação verificada no período, que corrompia os salários. Era o início da abertura política. Os políticos, intelectuais e artistas que se encontravam exilados voltaram, e os partidos políticos ressurgiram, entre eles o PDT, o PMDB, o PT e o PTB. O próximo passo seria a luta pelas eleições diretas, cuja campanha ficou conhecida pelos comícios que mobilizavam multidões; era o movimento das Diretas Já. Seguindo o curso da abertura política, no ano de 1982 houve eleições diretas — que estavam suspensas desde 1965 — para governadores de estado e senadores, tendo sido eleitos, por exemplo, Franco Montoro (SP) e Leonel Brizola (RJ). Mas ainda faltava o principal, que era a eleição direta para presidente da República.

A partir dessa eleição de 1982, crescem substancialmente os apelos para a eleição direta para presidente. Porém, como a Constituição de 1967 havia determinado a eleição indireta para presidente, a realização de uma eleição presidencial dependeria da aprovação — pelo Congresso — de uma emenda constitucional. Posta em votação no dia 25 de abril de 1984, o projeto foi reprovado no Congresso Nacional a despeito de toda aclamação popular emanada dos históricos comícios da Praça da Sé, em São Paulo, e da Central do Brasil, no Rio de Janeiro.

Apesar de a eleição continuar sendo indireta, nas eleições de 15 de janeiro de 1985, o Colégio Eleitoral elegeu Tancredo Neves e José Sarney — dois civis, os primeiros desde 1964 — para presidente e vice-presidente da República. Tancredo Neves adoeceu e faleceu antes mesmo de assumir, no dia 21 de abril. Sarney herdou a Presidência e tocou — na medida do possível — o processo de abertura política. Em maio de 1985, por exemplo, restabeleceu-se a eleição direta para presidente, que ocorreria em 1989. Agendaram-se também as eleições para a Assembleia Constituinte para o ano de 1986, com o objetivo de elaborar uma nova Constituição, em substituição à de 1967. Era o mundo começando novamente no Brasil.

No ano seguinte, 1987, foi instituída a Assembleia Constituinte com a "desvantagem de não colocar em questão problemas que iam muito além da garantia de direitos políticos à população. Seria inadequado dizer que esses problemas nasceram com o regime autoritário. A desigualdade de oportunidades, a ausência de instituições do Estado confiáveis e abertas aos cidadãos, a corrupção, o clientelismo são males arraigados no Brasil. Certamente, esses males não seriam curados da noite para o dia, mas poderiam começar a ser enfrentados no momento crucial da transição".[35]

A Constituição de 1988

Com a promulgação da Constituição, foram restabelecidos os direitos individuais e sociais fundamentais para o pleno funcionamento da democracia. O direito de associação, o direito de greve e todas aquelas liberdades que haviam sido violadas na Constituição de 1967 e

CAPÍTULO QUATRO: PERÍODO REPUBLICANO

pelos atos institucionais. Uma das conquistas mais esperadas e desejadas, porém, foi a determinação da realização de eleição direta para presidente, que ocorreria no ano seguinte, 1989.

Mas no afã de abraçar o mundo e atender a todos os anseios reprimidos da sociedade, a Constituição resultou num texto prolixo. Quanto aos direitos sociais, por exemplo, determinava que "são direitos sociais a educação, a saúde, a alimentação, o trabalho, a moradia, o transporte, o lazer, a segurança, a Previdência Social, a proteção à maternidade e à infância, a assistência aos desamparados".[36] Em 25 anos, receberia 74 emendas constitucionais e mais de 1.700 projetos de emendas constitucionais que ainda tramitam no Congresso Nacional.

A prolixidade fez com que a Constituição não passasse, em regra, de "escritos semânticos ou nominais sem correspondência com o mundo que regem [...], edifica-se nas nuvens, sem contar com a reação dos fatos, para que da lei ou do plano saia o homem, tal como no laboratório de Fausto, o qual, apesar do seu artificialismo, atende à modernização e ao desenvolvimento do país. A vida social será antecipada pelas reformas legislativas, esteticamente sedutoras, assim como a atividade econômica será criada a partir do esquema, do papel para a realidade. Caminho este antagônico ao pragmatismo político, ao florescimento espontâneo da árvore. Política silogística, chamou-a Joaquim Nabuco. É uma pura arte de construção no vácuo. A base são teses, e não fatos; o material, ideias, e não homens; a situação, o mundo, e não o país; os habitantes, as gerações futuras, e não as atuais".[37]

Ulysses Guimarães e a Constituição de 1988

As Eleições de 1989

A tão sonhada e protelada eleição direta para presidente da República se realizou — enfim — em 1989.

No segundo turno se opuseram dois representantes de setores diametralmente opostos da sociedade: de um lado, Fernando Collor de Mello, representante da elite brasileira, e de outro, Luiz Inácio Lula da Silva, representante do operariado brasileiro, liderança que havia emergido das grandes greves, sobretudo de metalúrgicos — funcionários das grandes montadoras de automóveis —, do final dos anos 1970. Ainda imatura, a democracia no Brasil deu sinais de sua fragilidade numa eleição contestável, em que Collor venceu apoiado de forma explícita e tendenciosa por elites que demonstravam o medo de ver um operário no poder.

A eleição de Collor, após anos de ditadura militar, foi extremamente decisiva. Em 1989, com a redemocratização, novos grupos da elite brasileira ansiavam abocanhar seu quinhão no poder. Não por acaso, mais de 20 candidatos se apresentaram para a campanha. Muitos partidos haviam sido criados praticamente nas vésperas da eleição. O Sudeste sempre foi o polo de desenvolvimento do país, e, desde os anos 1920, a região vinha avançando mais do que as outras do país. Collor era um representante das oligarquias nordestinas, e não do empresariado paulista. Sua queda, em 1992, foi também, além dos malfeitos da campanha, mais um acerto de contas, um arranjo entre elites; não por acaso, após o *impeachment*, assume um mineiro e depois um carioca que tinha feito toda a sua trajetória intelectual e política em São Paulo.

O Plano Collor

O Plano Collor foi decisivo para a queda do presidente, pois representava a mais drástica intervenção do Estado na economia da história do país. No Plano, foram tomadas medidas tributárias, tais como "redução dos prazos de recolhimento e indexação de tributos, ampliação da tributação ou aumento de alíquotas e suspensão de todos os incentivos. Previa também uma grande tributação sobre operações financeiras com a aplicação das alíquotas do IOF (Imposto sobre Operações Financeiras) sobre as operações da Bolsa de Valores, compra e venda de ações, ouro e títulos em geral, além da própria caderneta de poupança".[38]

A medida provisória mais polêmica e determinante para a queda do presidente foi: "Os depósitos de poupança, tanto de pessoas físicas quanto de jurídicas, poderão ser sacados uma única vez até o limite de CR$ 50.000,00. A mesma regra para conta-corrente. O restante ficará bloqueado durante 18 meses."

Atualizados, os 50 mil cruzeiros (o limite para saque) correspondem atualmente a cerca de R$6.500,00. A grande massa de trabalhadores e da população em geral vivia com salário mínimo, não havia sobras; portanto, não havia poupança. Poupar ou deixar dinheiro na conta-corrente ou em aplicação financeira era um luxo no Brasil dos anos 1980, em um cenário de hiperinflação. As medidas do Plano Collor atingiram diretamente a alta classe média e a burguesia brasileira. Essa elite, sim, teve confiscados seu dinheiro particular e o dinheiro de suas empresas. A partir do início do Plano Collor, os ânimos ficam exaltados no país. A elite, que havia apostado todas as suas fichas no candidato contra as incertezas e o medo da vitória de Lula, tinha agora suas expectativas frustradas.

CAPÍTULO QUATRO: PERÍODO REPUBLICANO

O *IMPEACHMENT*

Certamente, a rejeição ao Plano Collor é a vertente de toda a animosidade e de toda a oposição ao governo. A queda do presidente tornou-se um projeto das elites, e uma palavra nova, que até então era completamente desconhecida dos brasileiros, *impeachment*, entrou para o vocabulário popular. No início do ano de 1992 surgem as primeiras denúncias contra o presidente. Em 1º de junho, é instaurada uma CPI (Comissão Parlamentar de Inquérito). De junho a setembro, as denúncias contra Collor se avolumam, e os meios de comunicação começam a encorajar e enfatizar as manifestações populares que eclodiam em várias regiões do país. O ideal de arregimentar os jovens — os caras pintadas — era dar uma base social ao impedimento. Em 1º de setembro de 1992 é protocolado na Câmara dos Deputados o pedido de *impeachment*. Em 19 de setembro, a Câmara dos Deputados aprova a abertura do processo e encaminha o pedido ao Senado. No dia 1º de outubro, o processo é instaurado no Senado. No dia 2 de outubro, Collor é afastado da Presidência e assume seu vice, Itamar Franco. Em 29 de dezembro, quando se inicia o julgamento no Senado e na iminência de sofrer o *impeachment*, Collor renuncia ao mandato na tentativa de evitar a cassação dos seus direitos políticos. No dia 30 de dezembro, o presidente é condenado à perda do mandato e dos direitos políticos. No dia 24 de abril de 2014 — passados 22 anos —, o STF (Supremo Tribunal Federal) absolveu o Presidente Fernando Collor de Mello do crime de que foi acusado no processo de 1992 — de peculato, falsidade ideológica e corrupção passiva — por falta de provas. Todos esses crimes, portanto, foram mero pretexto para o afastamento do presidente. Collor caiu em desgraça no dia em que anunciou um plano econômico que transferia para as elites o ônus das mudanças.

Fernando Collor de Mello sofre o *impeachment*

Os Anos 1990

Embora muito elogiado na época pelos maiores economistas do país, por colocar o dedo na ferida e enfrentar com realismo o problema da hiperinflação dos anos 1980, muitos criticavam o aspecto impositivo do Plano Collor. Dizia-se, na época, que havíamos passado do autoritarismo político para o autoritarismo econômico. Com as mudanças radicais que vinham ocorrendo no capitalismo, sobretudo na Europa, o surgimento do neoliberalismo era um outro tipo de cenário

CAPÍTULO QUATRO: PERÍODO REPUBLICANO

que as elites brasileiras esperavam para o Brasil naquele período inicial de redemocratização do país.

O governo de Itamar Franco, pode-se dizer, foi a fase de transição entre o modelo original de Collor e o neoliberal, que seria implantado a partir de 1994 com o governo de Fernando Henrique Cardoso (FHC). O grande dilema das elites, ao depor Fernando Collor, no entanto, era com as eleições de 1994. O grande medo era que, com a frustração do povo com Collor, Lula — que havia perdido as eleições no segundo turno em 1989 por uma pequena margem de votos (cerca de 4 milhões ou 53,03% contra 46,97%) — pudesse voltar fortalecido e assustar as elites com o fantasma do socialismo. O Plano Real — implantado em fevereiro de 1994, poucos meses antes das eleições — obteve êxito imediato no controle da inflação e na estruturação da economia do país. Foi o "salvador da pátria" no sentido econômico e político. Não por acaso, Fernando Henrique Cardoso — ministro da Fazenda que havia implantado o Plano Real — foi eleito presidente da República em primeiro turno nas eleições de 3 de outubro de 1994.

A partir dos anos 1990, começa a ocorrer no Brasil um processo que, na Europa, já acontecia desde o final dos anos 1970, que era a ascensão do chamado neoliberalismo. Durante o período compreendido entre o final da Segunda Guerra Mundial e o final dos anos 1970, o mundo vivia sob o aspecto do keynesianismo, ou seja, da intervenção do Estado na economia para promover o estado de bem-estar social, que envolvia desde manter direitos sociais e pleno trabalho, de um lado, e condições econômicas para a manutenção da produção e do comércio, de outro. A partir dos anos 1970, com a sociedade plenamente recuperada do desastre da guerra, o Estado passa a se retirar da intervenção direta na economia, nos negócios, e vai deixar que a sociedade comande novamente os rumos da economia. O neoliberalismo é a teoria do Estado mínimo e a transferência de setores (em que o Estado monopolizava) para a iniciativa privada.

Desde a Proclamação da República, como vimos, existe uma relação direta entre governo e empresários. Os incentivos, os aportes, os subsídios do governo sempre foram primordiais para o desenvolvimento do país, da modernização, da diversificação da economia, da industrialização etc. Sem os amplos benefícios concedidos pelos governos — estaduais e federal —, muitos impérios e fortunas no Brasil não teriam se viabilizado. No Brasil impera o fisiologismo, o clientelismo, o estamento.

A abertura política, depois de quase 30 anos de ditadura militar, e a redemocratização do país abrem a possibilidade de novos arranjos, novos fisiologismos e possibilidades de mudanças no comando da política. Eram essas novas oportunidades, no bilionário universo do setor público — suas obras, serviços, concessões etc. —, que ansiava abocanhar uma nova elite que havia surgido nos anos 1980 e que não fazia parte daquela que aparelhara o Estado durante a ditadura militar. As eleições diretas em 1989 significaram uma grande porta

CAPÍTULO QUATRO: PERÍODO REPUBLICANO 153

que se abria para oportunidades de negócios. Collor, que deveria ser o agente dessa transformação, decepcionou. A passagem da ditadura militar para a democracia, do ponto de vista da elite do país, só se consumou com o governo de FHC e seu projeto de modernização do país, da economia seguindo os padrões internacionais do neoliberalismo e das instituições.

FHC E O MODELO NEOLIBERAL

De 1889 até 1990, passando pelos anos 1930, pelo Estado Novo, pelo período de redemocratização — com Getúlio e Juscelino — e pela ditadura militar, podemos perceber uma forte presença do Estado na economia. A partir de 1994, no primeiro mandato de FHC, é possível perceber uma mudança sensível na atuação do Estado. A meta do novo governo era modernizar a economia brasileira e com isso atrair investimentos internacionais, além de dar fôlego substancial à indústria nacional e ao comércio, na esteira da estabilização e pelo crescimento econômico proporcionado pelo Plano Real.

O modelo neoliberal tem como princípio a liberdade total do mercado — livre-comércio —, e essa liberdade só seria possível por meio da privatização de setores que, desde os anos 1930 no Brasil, eram monopólio do Estado. Setores estratégicos e extremamente rentáveis, tais como telecomunicações, elétrico, mineração, siderurgia, transportes, entre outros. Com participação mínima na economia do país, restava ao Estado investir nos setores essenciais para o bem-estar social, tais como educação, saúde e assistência social.

Fernando Henrique Cardoso

Com o forte investimento de empresas nacionais e multinacionais nas empresas privatizadas — em que o Estado não teria forças para investir —, esperava-se, como consequência, o desenvolvimento socioeconômico.

CAPÍTULO QUATRO: PERÍODO REPUBLICANO

No mandato de FHC, esse processo é visível com o programa de privatizações. Entre 1994 e 2002, mais de 70 empresas federais foram privatizadas. Os setores mais privatizados foram o siderúrgico (oito empresas), entre elas a CSN (Companhia Siderúrgica Nacional), 27 empresas petroquímicas, três do sistema elétrico, sete do setor ferroviário, duas do setor de portos, quatro bancos, seis do sistema de telecomunicações, entre outras. Essas privatizações tinham também a intenção de eliminar um problema crônico no Brasil, que é a corrupção. As estatais movimentavam bilhões em ativos e, evidentemente, exerciam um poder imenso sobre a economia do país. Seus diretores e dirigentes eram escolhidos por meio de indicações políticas, o que inevitavelmente gerava o apadrinhamento e as trocas de favores eleitorais, financeiros, pessoais etc. Em um universo tão propício, os casos de corrupção eram recorrentes.

Esperava-se que esses setores, privatizados, ativassem uma lei básica do mercado, que é a livre concorrência, e, ato contínuo, que a concorrência entre as empresas prestadoras de serviços pudesse levar a melhorias na qualidade e no preço dos serviços para o consumidor final.

À medida que os serviços — antes públicos — passam a ser praticados pela iniciativa privada, o governo cria uma série de agências reguladoras para fiscalizar a qualidade dos serviços prestados. Para os serviços de saúde, a ANS (Agência Nacional de Saúde Suplementar); para os serviços de telefonia, a Anatel (Agência Nacional de Telecomunicações); para os serviços de petróleo, gás e combustíveis, a ANP (Agência Nacional do Petróleo); para os serviços de aviação civil, a Anac (Agência Nacional de Aviação Civil); para os serviços de vigilância sanitária, a Anvisa (Agência Nacional de Vigilância Sanitária), entre outras agências reguladoras.

Além de estabelecer as regras para o funcionamento dos vários setores privatizados, as agências deveriam controlar e fiscalizar a qualidade dos serviços prestados ao consumidor. O papel do Estado, portanto, no modelo neoliberal, é o de gerenciar. A teoria do Estado Mínimo — livre do fardo de administrar empresas — deveria gerar uma maior eficiência no gerenciamento dos interesses coletivos.

Como se pode ver, nos oito anos do governo Fernando Henrique Cardoso, ocorreram mudanças históricas no papel do Estado na sociedade brasileira. As reformas pavimentaram o caminho para o desenvolvimento econômico do Brasil. O processo de modernização das relações entre Estado e sociedade havia realmente avançado ao longo de toda a década de 1990.

Na passagem do século XX para o XXI parecia que o Brasil havia finalmente encontrado o caminho para se livrar de uma vez por todas do seu passado.

O Governo Lula

A estabilidade econômica proporcionada pelo Plano Real e a grande reforma do Estado brasileiro, operacionalizada pelo governo FHC, deram alicerce sólido para a sempre instável democracia brasileira, a ponto de transformar as

CAPÍTULO QUATRO: PERÍODO REPUBLICANO

Luiz Inácio Lula da Silva

Arquivo da Presidência da República

eleições de 2002 em um evento realmente histórico. A economia brasileira estava em franco processo de expansão, entrando em estágio amadurecido e colhendo os frutos de todo o processo que havia sido inaugurado pelas políticas de Fernando Henrique Cardoso. Ninguém jamais poderia imaginar que, em um momento como aquele, seria eleito um presidente oriundo da classe trabalhadora e de um partido de esquerda.

O último presidente que havia se aproximado da classe trabalhadora e que nutria simpatia pela esquerda — João Goulart — havia sofrido um golpe militar. A julgar pelas bandeiras históricas do Partido dos Trabalhadores — levantadas no final da década de 1970 e início da de 1980 — e pela postura do partido ao longo dos anos — seja no Congresso, seja no Senado —, de oposição à política neoliberal de FHC, julgava-se que a desaceleração desse processo criaria embates na política brasileira. Embora tenha ocorrido uma modernização da economia e uma estabilidade econômica que contribuía para o bem-estar social, na era FHC não havia ocorrido uma mudança substancial nas condições de vida da parcela mais pobre da população. Esperava-se que, no governo Lula, o foco no desenvolvimento econômico que beneficiava uma elite fosse direcionado para questões sociais em benefício do povo.

Governando em um momento propício da economia do país, Lula conseguiu fazer com que a política socioeconômica do Estado brasileiro convergisse para uma agenda única. A criação de programas de distribuição de renda para aqueles que viviam na linha da miséria, combinada com o aumento da oferta de crédito para a classe média, fez com que um princípio básico da economia ocorresse de forma sistemática, e o aumento do poder aquisitivo da população fez girar a roda da economia. Esse giro libera uma reação em cadeia: maior consumo,

CAPÍTULO QUATRO: PERÍODO REPUBLICANO 159

maior produção, melhores resultados no comércio e nos serviços, aquecimento econômico, pleno emprego e uma sensação generalizada de bem-estar social. Entre 2002 e 2010, vivíamos no melhor dos mundos possíveis. No entanto, entre 2005 e 2006, uma denúncia de compra de votos/parlamentares no Congresso Nacional para a aprovação de projetos de interesse do governo — o chamado Mensalão — trouxe de volta os velhos fantasmas que o povo brasileiro esperava que tivessem ficado no passado.

O Brasil não Tem Povo?

Embora abalado pelas denúncias de corrupção — que tinham levado políticos importantes para a cadeia —, o Partido dos Trabalhadores conseguiu fazer seu sucessor nas eleições de 2010. Em uma eleição histórica no Brasil, pela primeira vez, uma mulher, no período republicano, assumia o Executivo do país: Dilma Roussef.

No entanto, o entusiasmo com o governo e com a economia do país — que dava sinais de retração —, nos anos iniciais do governo Dilma, havia caído da frigideira para a brasa. Havia algum entusiasmo capitalizado pela Copa do Mundo de futebol da Fifa, que se realizaria em 2014.

Os preparativos para a Copa implicavam a construção de estádios grandiosos para a realização dos jogos. Todos eles deveriam seguir o chamado padrão Fifa de qualidade. Muitos em regiões empobrecidas e carentes de serviços básicos. A Arena da Amazônia, por exemplo, em Manaus, custou cerca de R$ 800 milhões, em um estado em que apenas 36% da população tem acesso à rede de água, e a coleta de esgoto atende a apenas 4% da população. As exigências do padrão Fifa irritaram profundamente os brasileiros. Unidas a uma crise de representação política surgida no escândalo do Mensalão, levam o povo às ruas para exigir o mesmo padrão Fifa pelo qual o governo construía os estádios da Copa, para hospitais, escolas, estradas, transporte público, moradias populares, que no país ainda são precários.

A parceria exitosa entre governo e iniciativa privada na construção da infraestrutura da Copa foi fruto da vontade política para que tudo se materializasse. O povo percebeu que, se houvesse essa mesma vontade política para a construção de hospitais, escolas, creches ou infraestrutura — saneamento, água etc. —, o país poderia ser melhor. Os recursos existiam na sétima economia mais robusta do mundo e havia uma disparidade entre essa posição no *ranking* da riqueza e a posição (85ª) no *ranking* do IDH (Índice de Desenvolvimento Humano).

O povo percebeu também que, se a mesma vontade política não acontecia nos serviços básicos, era porque eles haviam sido também privatizados: a educação, por meio do avanço das escolas particulares em todos os níveis, e a saúde, por meio da proliferação dos planos de saúde. Em um quadro como esse, é claro que serviços públicos de excelência nesses setores serão vistos como uma interferência do Estado na economia, na livre concorrência. O problema se agrava pelo meio-termo que se vive entre,

CAPÍTULO QUATRO: PERÍODO REPUBLICANO

de um lado, o *lobby* de grandes empresas desses setores que simplesmente impedem o investimento em nome da livre concorrência, e de outro a ineficiência do Estado com falta de projetos consistentes nessas áreas.

Ficou claro que, quando existe vontade política, as coisas acontecem, e, quando não há interesse das elites políticas e econômicas, as coisas são simplesmente procrastinadas e os interesses particulares se sobrepõem aos coletivos. A falta de solução e a procrastinação em torno da questão do grave problema de saneamento básico, além do desconforto evidente que causa à população, é responsável por inúmeras doenças em adultos e crianças. Portanto, no Brasil, é mera falta de interesse e de vontade política, e não falta de recursos. A perversão e o sadismo, nesse caso, são algo desumano e uma tortura sistemática e cotidiana contra os desfavorecidos do país.

O povo brasileiro, porém, tem uma capacidade única de surpreender. As grandes manifestações populares, que sacudiram o Brasil em 2013, não foram resultado apenas da crise de representação política que tomou conta do país por ocasião das denúncias do Mensalão. Crise econômica e gastos exorbitantes com a Copa, de um lado, e, de outro, a sensação cotidiana da ausência do Estado, levaram o povo a surtar e a ter um rompante anarquista. O resultado: incêndios nas ruas e a repressão do Estado numa espécie de Primavera Árabe que — para o terror da classe política e dos donos do poder — havia chegado ao Brasil.

A Luta de Todos contra Todos

Entre os anos 2009 e 2014, o BNDES (Banco Nacional de Desenvolvimento Econômico e Social) manteve um programa, o PSI (Programa de Sustentação de Investimentos), voltado para conceder empréstimos a grandes empresas brasileiras e multinacionais, que movimentou o montante de R$ 362 bilhões. Entre as empresas que tomaram esses empréstimos estão a Fiat--Chrysler, com R$ 3 bilhões e juros de 4,7% ao ano; o grupo Vale, com R$ 3 bilhões e juros de 4,2% ao ano; a Renault, com R$ 1,5 bilhão e juros de 5,1% ao ano; a Ford, com R$ 1,2 bilhão e juros de 4% ao ano; a TIM, com R$ 1 bilhão e juros de 3,5% ao ano (só para citar as da casa do bilhão).

Em qualquer país, o governo concede empréstimos subsidiados ao setor privado com o intuito de aquecer a economia. Fato é que, no Brasil, qualquer brasileiro que queira ou precise de um aporte financeiro tem que recorrer ao cheque especial ou ao cartão de crédito, cujos juros bateram, em média (2015), a casa dos 290% e 430% ao ano, respectivamente, e acaba entrando numa dívida impagável. Ou seja, facilidades de condições para os grandes empresários, de um lado, e, de outro, uma sucessão de obstáculos impostos ao povo, que, tendo no cheque especial e no cartão de crédito suas formas mais acessíveis de aporte financeiro, torna-se refém de um sistema bancário predatório. Não por acaso, nesse mesmo período, 2009-2014, registram-se recordes históricos no lucro dos bancos. Em 2014, os cinco maiores bancos do país levaram

CAPÍTULO QUATRO: PERÍODO REPUBLICANO 163

Protesto no Congresso Nacional, 17 de junho de 2013

Agência Brasil/Valter Campanato

juntos quase R$ 60 bilhões. Em 2015, foram R$ 68 bilhões, aproximadamente.

Com os empréstimos do BNDES, o governo transforma questões — ou crises — setoriais e particulares em questão nacional. Como na época da República do Café com Leite, quando, como vimos, mecanismos de proteção socializavam as perdas da oligarquia cafeeira. Tudo em detrimento da grande questão nacional que é o povo, pois esses mesmos R$ 362 bilhões resolveriam problemas que se arrastam há séculos no Brasil, como a questão sanitária, da infraestrutura, da educação e da saúde. Ou seja, questão de prioridades, ou da falta delas.

Com essa disparidade de oportunidades, vivemos, sem dúvida, num mundo hobbesiano, onde os mais fortes — aqueles que podem bajular os detentores do poder com doações generosas em campanhas eleitorais — se sobressaem dos mais fracos. Segundo a tese de Hobbes, quando o desejo de alguns se sobrepõe ao desejo da maioria, vivemos em um estado de natureza, numa luta de todos contra todos. O Estado tem por objetivo estabelecer um estado democrático de direito em que se possa construir um projeto de nação que seja a síntese ou a convergência do desejo de todos. No Estado patrimonialista brasileiro, o homem é o lobo do homem.[39]

A disparidade de tratamento do Estado para com seu povo e para com os membros do seu estamento rompe com o pacto social, cujas cláusulas, segundo Rousseau, se reduzem a uma única, a saber: "A alienação total de cada associado, com todos os seus direitos, em favor de toda a

CAPÍTULO QUATRO: PERÍODO REPUBLICANO

comunidade. Porque cada qual, se entregando por completo e sendo a condição igual para todos, a ninguém interessa torná-la onerosa para os outros."[40]

Os Donos do Poder

A partir das eleições de 2002 é possível acompanhar, por meio do *site* do TSE (Tribunal Superior Eleitoral) e do Transparência Brasil, a evolução extraordinária do volume de doações para candidatos e comitês e diretórios políticos ao longo do tempo, até as eleições de 2014. O quadro é o seguinte: somando todos os doadores — pessoas físicas e jurídicas — para todos os partidos, temos:

2002: R$ 792.546.932,00
2004: R$ 1.393.222.416,00
2006: R$ 1.729.042.149,00
2008: R$ 2.512.406.149,00
2010: R$ 3.666.605.190,00
2012: R$ 4.627.211.322,00
2014: R$ 4.815.705.789,00

A construtora Odebrecht doou, em 2002, um total de R$ 7.054.000,00. Já no ano de 2014, R$ 111.785.034,00. A construtora OAS doou, em 2002 e 2014, respectivamente, R$ 7.465.868,00 e R$ 187.475.922,00. A UTC Engenharia, R$ 1.041.000,00 e R$ 103.684.805,00 (idem). A Camargo Correia, R$ 1.887.000,00 e R$ 103.212.120,00 (2010). A JBS, R$ 103.000,00 e R$ 774.371.733,00 (2014). A construtora Queiroz Galvão, R$ 2.000,00 (2006) e R$ 147.526.096,00 (2014). O empresário Eike Batista doou, em 2006, R$ 4.380.000,00 e, em 2010, R$ 6.050.000,00. O avanço colossal das doações entre os anos 2002 e 2014 é revelador. Deixa clara a forma como funciona a política no Brasil: empresas privadas investem pesado em candidatos que, se eleitos — claro —, não poderão se furtar à obrigação de atender minimamente aos interesses das empresas patrocinadoras. Essas relações perigosas entre empresários, funcionários públicos e políticos — que na prática agem como agentes dessas empresas e lobistas infiltrados no poder — são retrato do avanço selvagem e predatório do aparelhamento do Estado brasileiro por parte do estamento e do patrimonialismo que regem a nossa política. Essa convergência de interesses particularistas, dos quais era para o Estado ser a antítese, deve representar o avesso e vai gerar o maior escândalo de corrupção da história do país.

Em finais de 2014, iniciaram-se as denúncias e as investigações de um dos maiores casos de corrupção da história nacional e na maior empresa do país — a Petrobras —, a única que havia restado das estatais que foram privatizadas. Não por acaso, porque nela continuou vigorando o antigo modelo de indicações políticas para os chamados cargos de confiança — um grupo de funcionários públicos, com cargos de alto escalão, políticos e empresários aparelharam a empresa e geriram seus negócios — públicos — como se fossem

CAPÍTULO QUATRO: PERÍODO REPUBLICANO

seus, particulares. Aqui se manifesta mais uma vez, na sociedade brasileira, o patrimonialismo e o estamento. Todas aquelas doações milionárias para campanhas de candidatos, na verdade, revertiam-se depois numa troca de favores com uma espécie de loteamento das milionárias licitações de obras que a maior empresa da América Latina e uma das maiores do mundo executava no Brasil e no exterior. Tornada explícita pela operação Lava-Jato — da Polícia Federal e do Ministério Público —, essa prática revelou ao país a que ponto havíamos chegado no descaso, no cinismo, no oportunismo e na falta de respeito com o povo brasileiro. Nenhum país civilizado do mundo toleraria uma discrepância e uma distância tão abissal entre a produção da riqueza (7ª posição no mundo) e o nível de desenvolvimento humano (85ª posição). Nada justifica tal distância, a não ser o único projeto de nação no Brasil: aquele que mantém de forma sistemática e planejada todo um povo na ignorância, para que o estamento que se apodera do poder, de forma recorrente — eleição após eleição, independentemente de partido —, possa aparelhar o Estado para o usufruto exclusivo de seus beneficiários.

POLARIZAÇÕES PERVERSAS: DE VOLTA AO INÍCIO

Em 2014, em meio a denúncias, prisões e condenações de políticos e empresários, foram realizadas as eleições para presidente. No segundo turno, disputaram a candidata à reeleição, Dilma Roussef, e Aécio Neves (candidato da oposição). Dilma foi reeleita com três pontos percentuais de diferença de votos (51,6% contra 48,3%). Mas o que mais chamou a atenção, no entanto, depois da crise de representatividade política com os escândalos do Mensalão e do Petrolão, foi o quanto os números revelaram da desesperança do povo com a política — 1.921.819 (1,7%) eleitores votaram em branco; 5.219.787 votaram nulo (4,6%) e 30.137.479 se abstiveram de votar (21,1%). Se o voto não fosse obrigatório, certamente o descaso do povo com as eleições apareceria de forma bem mais gritante. Quase 30% da população não votou ou votou branco/nulo.

No ano de 2015, o país entra em um estado de letargia total. A crise existe, e a solução para a crise, no entanto, passa por um projeto de união de opostos. Mas essa união interessa a quem? A oposição, ao trabalhar soluções para a crise, fortalece o governo. O governo, se sai da crise fortalecido, permanece no poder. A encruzilhada em que os brasileiros se encontram no final de 2015, pois está em jogo uma disputa pelo poder, é das piores já vistas. O país, o povo, que país? Que povo?

O panorama político do ano de 2015 — um ano perdido — é o retrato perfeito de como no Brasil vigora um patrimonialismo na política e temos um estamento no poder. A disputa entre dois partidos paralisando o país e punindo severamente seu povo.

O povo, vivendo uma situação funcional problemática, sem educação e cultura dignas que possam lhe assegurar a capacidade de compreender e mudar os rumos do Brasil, é refém dessa situação e vai soçobrando

CAPÍTULO QUATRO: PERÍODO REPUBLICANO

nas mãos de uma elite política e econômica, cujo único norte é o enriquecimento individual num capitalismo selvagem e predatório. O mesmo capitalismo de sempre, aliás, aquele que havia desembarcado aqui em 1500, no processo de expansão comercial e marítima.

Entre o que somos como nação e o que queremos ser, existe um abismo. Para se chegar até lá é preciso que sejam construídas algumas pontes — com alicerces sólidos —, que podem ser traduzidas como projeto de nação. Sem esse projeto, o país e seu povo vão permanecer divididos entre duas realidades perversamente distantes.

Somos, enquanto nação, uma espécie de ornitorrinco social cujo *habitat* se localiza em algum lugar entre o Principado de Mônaco e o Haiti.

Vivendo à beira desse abismo, até quando ignoraremos que ele não é, no entanto, obra da natureza?

FONTES E REFERÊNCIAS BIBLIOGRÁFICAS PARA SE COMPREENDER O BRASIL

Acervo da Fundação Biblioteca Nacional. Rio de Janeiro, RJ.

ALENCASTRO, C. F. A Pré-revolução de 30. *Novos Estudos Cebrap*, São Paulo, nº 18, setembro de 1987.

___. *O trato dos viventes: formação do Brasil no Atlântico Sul.* São Paulo: Companhia das Letras, 2000.

ANDRADE, O. *Um aspecto antropofágico da cultura brasileira: O homem cordial.* In: *Obras completas*, nº 6. Rio de Janeiro: Civilização Brasileira, 1970.

AVELINO FILHO, G. Cordialidade e civilidade em *Raízes do Brasil. Revista Brasileira de Sociologia*, Porto Alegre, nº 12, vol. 5, fevereiro de 1990.

___. As Raízes do Brasil. *Novos Estudos Cebrap*, nº 18, setembro de 1987.

BARBOZA, F. A. *Raízes de Sérgio Buarque de Holanda.* Rio de Janeiro: Rocco, 1988.

BIASOLI, V. Prefácio. In: FONTANA, J. *História: análise do passado e projeto social.* Bauru: Edusc, 1998.

BOSI, A. Um testamento do presente. In: MOTA, C. G. *Ideologia da cultura brasileira (1933–1974).* São Paulo: Ática, 1977.

BRAUDEL, F. *Civilização material e capitalismo nos séculos XV–XVIII.* Lisboa: Cosmos, 1970. Col. Rumos do Mundo, vol. 10.

A HISTÓRIA DO BRASIL PARA QUEM TEM PRESSA

CANDIDO, A. O significado de *Raízes do Brasil*. In: HOLANDA, S. B. *Raízes do Brasil*, nº 26. São Paulo: Companhia das Letras, 1995.

____. A Revolução de 30 e a cultura. In: *A educação pela noite e outros ensaios*. São Paulo: Ática, 1987.

____. *SBH e o Brasil*. São Paulo: Fundação Perseu Abramo, 1998.

CHAUÍ, M. *Brasil: mito fundador e sociedade autoritária*. São Paulo: Fundação Perseu Abramo, 2000.

CARDOSO, F. H. Livros que inventaram o Brasil. *Novos Estudos Cebrap*, nº 37, novembro de 1993.

____. As ideias e o seu lugar. Petrópolis: Vozes, 1980. Caderno Cebrap, nº 13.

CARONE, E. *A Segunda República*. Rio de Janeiro: Difel, 1973.

CAVALHEIRO, E. *Testamento de uma geração*. Porto Alegre: Globo, 1944.

COSTA, E. V. Revolução burguesa no Brasil. In: *Encontros com a Civilização Brasileira*, nº 4, 1978.

____. Introdução ao estudo da emancipação política do Brasil. In: MOTA, C. G. *Brasil em perspectiva*. Rio de Janeiro: Difel, 1968.

____. *Da senzala à colônia*. Rio de Janeiro: Difel, 1966.

COSTA, W. P. *A década de 20 e as origens do Brasil moderno*. São Paulo: Unesp/Fapesp, 1997.

COUTINHO, C. N. *Cultura brasileira: um intimismo deslocado, à sombra do poder?*. São Paulo: Brasiliense, 1976. Cadernos de Debate, nº 1. História do Brasil.

CRUZ, J. C. *Contribuição à história das ideias no Brasil*. Rio de Janeiro: Civilização Brasileira, 1956.

FONTES E REFERÊNCIAS BIBLIOGRÁFICAS

DEAN, W. A industrialização durante a República Velha. In: *História geral da civilização brasileira*, tomo III, vol. 4. Rio de Janeiro: Difel, 1984.

DECCA, E. S. de. *1930, o silêncio dos vencidos*. São Paulo: Brasiliense, 1981.

DIAS, M.O.L.S. (Org.) *Sérgio Buarque de Holanda*. Col. Grandes Cientistas Sociais (coordenada por Florestan Fernandes), vol. 51. São Paulo: Ática, 1985.

____. Estilo e método na obra de SBH. In: *SBH: vida e obra*. São Paulo: Secretaria do Estado da Cultura, Arquivo do Estado, USP e Instituto de Estudos Brasileiros, 1988.

____. Política e sociedade na obra de Sérgio Buarque de Holanda. In: *Sérgio Buarque de Holanda e o Brasil*: Fundação Perseu Abramo, 1998.

____. A interiorização da metrópole. In: MOTA, C. G. *Brasil em perspectiva*. Rio de Janeiro: Difel, 1968.

____. Negação das negações. In: *Raízes do Brasil*. Rio de Janeiro: Nova Aguilar, 2000. Col. Intérpretes do Brasil.

DIEHL, A. A. *Max Weber e a história*. Passo Fundo: Ediupf, 1996.

____. *A cultura historiográfica brasileira: do IHGB aos anos 1930*. Passo Fundo: Ediupf, 1998.

DINIZ, E. O Estado Novo: estrutura de poder e relações sociais. In: *História geral da civilização brasileira*, tomo III, vol. 3. Rio de Janeiro: Difel, 1983.

FAORO, R. *Os donos do poder*. Porto Alegre: Globo, 1976.

____. Sérgio Buarque de Holanda: analista das instituições brasileiras. In: *Sérgio Buarque de Holanda e o Brasil*. São Paulo: Fundação Perseu Abramo, 1998.

174 A HISTÓRIA DO BRASIL PARA QUEM TEM PRESSA

____. *Existe um pensamento político brasileiro?* São Paulo: Ática, 1994.

FAUSTO, B. *A Revolução de 30.* São Paulo: Brasiliense. 1975.

____. O Brasil Republicano. In: *História geral da civilização brasileira*, tomo III, vol. 4. Rio de Janeiro: Difel, 1977.

____. Expansão do café e política cafeeira. In: *História geral da civilização brasileira*, tomo III, vol. 1. Rio de Janeiro: Difel, 1989.

FERNANDES, F. *A sociologia no Brasil.* Petrópolis: Vozes, 1977.

____. *O negro no mundo dos brancos.* Rio de Janeiro: Difel, 1972.

____. *A integração do negro na sociedade de classes.* São Paulo: Ática. Col. Ensaios, 34, vol. 2, 1978.

FIGUEIRA, P. A. *A historiografia brasileira 1900–1930. Análise crítica.* Tese de Doutorado. Faculdade de Filosofia, Ciências e Letras de Assis, Assis,1973.

FRANCO, M. S. C. *As ideias estão no lugar.* São Paulo, Brasiliense, 1976. Cadernos de Debate. nº 1, História do Brasil.

____. *Homens livres na ordem escravocrata.* São Paulo: IEB/USP, 1969.

FREYRE, G. *Casa-grande & senzala.* Rio de Janeiro: José Olympio, 1958.

FURTADO, C. *O Brasil e os entraves para o desenvolvimento.* Rio de Janeiro: Paz e Terra. Ano I, nº 4, agosto de 1967.

____. *Formação econômica do Brasil.* Brasília: UNB, 1963.

____. Brésil: de la République olicharquie à l'etat militaire. In: *Les Temps Modernes*, nº 257, outubro de 1967. Paris.

GUIMARÃES, M. L. S. Nação e civilização nos trópicos, *Revista Estudos Históricos*, Rio de Janeiro, nº 1. 1988.

GURVITCH, G. *Sociologia del siglo XX*, vol. I. Barcelona: Ateneo S/A, 1965.

FONTES E REFERÊNCIAS BIBLIOGRÁFICAS

HALE. J. *A idade das explorações*. Rio de Janeiro: José Olympio, 1970.

HOLANDA, S. B. *Raízes do Brasil*, São Paulo: Companhia das Letras, 1995.

___. *Visão do paraíso*. Rio de Janeiro: José Olympio, 1959.

___. *Monções*. São Paulo: Alfa-Ômega, 1976.

___. *Caminhos e fronteiras*. Rio de Janeiro: José Olympio, 1975.

___. O lado oposto e os outros lados. *Revista do Brasil*, Rio de Janeiro, 15 de outubro de 1926.

___. Do Império à República. In: *História geral da civilização brasileira*. Rio de Janeiro: Difel, 1960.

___. *Thomas Davatz, memórias de um colono no Brasil*. São Paulo: Martins Fontes, 1941.

___. *História geral da civilização brasileira. A época colonial*, tomo I, vol. 5. Rio de Janeiro: Difel, 1973.

___. *O espírito e a letra: estudos de crítica literária 1920–1947*, vol. 1. Organizado por A. A. Prado. São Paulo: Companhia das Letras, 1997.

___. *O espírito e a letra: estudos de crítica literária 1948–1959*, vol. 2. Organizado por A. A. Prado. São Paulo: Companhia das Letras, 1997.

___. Antinous (fragmento). *Klaxon*, São Paulo, nº 15, agosto de 1922. Edição Facsimilar. São Paulo: Martins, 1972.

___. Le Brésil dans la vie américaine. In: *Le Nouveau Monde et l'Europe*; textes des conférences et des entretiens organisées par les Rencontres Internationales de Genève et des conférences prononcées aux Rencontres Intellectuelles de São Paulo, 1954. Bruxellas: Office de Publicité, 1955.

A HISTÓRIA DO BRASIL PARA QUEM TEM PRESSA

___. *Cobra de vidro*. São Paulo: Perspectiva, 1978.

___. Conquista da paz interna e conciliação política (excertos de prova escrita realizada durante concurso para a cátedra de História da Civilização Brasileira na Universidade de São Paulo). *Folha de S. Paulo*, 19 de abril de 1992, Mais!

___. Corpo e alma do Brasil. Ensaio de psicologia social. *Revista do Brasil*, Rio de Janeiro, ano 3, julho de 1987.

___. Discurso do Sr. Sérgio Buarque de Holanda; pronunciado na noite de 25 de abril de 1961, ao tomar posse da Cadeira n° 36. *Revista da Academia Paulista de Letras*, São Paulo, ano 22, n° 67, julho de 1962.

___. *Elementos básicos da nacionalidade: o homem*. Rio de Janeiro: Escola Superior de Guerra, 1967.

___. Entrevista *Veja*, 28 de janeiro de 1976, n° 386.

___. Introdução geral. In: *História geral da civilização brasileira*, tomo I, vol. 1. Rio de Janeiro: Difel, 1963.

___. *Livro dos prefácios*. São Paulo: Companhia das Letras, 1996.

___. Mentalidade capitalista e personalismo. *Digesto Econômico*, São Paulo, n° 28, março de 1947.

___. O pensamento histórico no Brasil durante os últimos cinquenta anos. *Correio da Manhã*, Rio de Janeiro, 15 de julho de 1951.

___. O senso do passado. *Revista do Brasil*, Rio de Janeiro, ano 3, n° 6, julho de 1987.

___. Sérgio Buarque responde (entrevista). *Folha de S. Paulo*, 28 de agosto de 1977. Folhetim, n° 32.

___. Sobre uma doença infantil da historiografia. *O Estado de S. Paulo*, 17-24 de junho de 1973. Suplemento Literário.

FONTES E REFERÊNCIAS BIBLIOGRÁFICAS

___. *Tentativas de mitologia*. São Paulo: Perspectiva, 1979.

___. A viagem a Nápoles. *Revista do Brasil*, Rio de Janeiro: ano 3, nº 6, julho de 1987.

IANNI, O. *Raças e classes sociais no Brasil*. Rio de Janeiro: Civilização Brasileira, 1966.

___. *A ideia de Brasil moderno*. São Paulo: Brasiliense, 1994.

LEITE, D. M. *Caráter nacional brasileiro*. São Paulo: Pioneira, 1969.

LAHUERTA, M. Os intelectuais e os anos 20: moderno, modernista, modernização. In: LORENZO, H. C. de; COSTA, W. P. *A década de 20 e as origens do Brasil moderno*. São Paulo: Unesp/Fapesp, 1997.

LEVATHES. L. *When China Ruled the Seas*: Oxford University Press, 1997.

LINS, I. *História do positivismo no Brasil*. São Paulo: Companhia Editora Nacional. 1967. Coleção Brasiliana, volume 322.

MACHADO, B. P. *Raízes do Brasil:* uma releitura. *Estudos Brasileiros*, Curitiba, vol. 1, nº 2, 1976.

MARSON, A. Sobre a ideologia do caráter nacional: uma revisão. *Revista de história*, São Paulo, nº 86, 1971.

MARTINS, W. *História da inteligência brasileira*. São Paulo: Cultrix, Edusp, 1977.

MELLO, E. C. Raízes do Brasil e depois. In: HOLANDA, S. B. *Raízes do Brasil*. São Paulo: Companhia das Letras, 1995.

MELLO, J. M. C. *O capitalismo tardio (contribuição à revisão crítica da formação e desenvolvimento da economia brasileira)*. Tese de Doutorado, Universidade de Campinas, Campinas, 1975.

MENZIES, G. *1421 — O ano em que a China descobriu o mundo*, Rio de Janeiro: Bertrand Brasil, 2006.

MERCADANTE, P. *A consciência conservadora no Brasil.* Rio de Janeiro: Saga, 1965.

MOTA, C. G. *Ideologia da cultura brasileira, (1933–1974).* São Paulo: Ática, 1977.

____. (Org.) *Brasil em perspectiva.* Rio de Janeiro: Difel, 1973.

NEME, M. *Plataforma da nova geração.* Porto Alegre: Globo, 1945.

NOGUEIRA, A. R. Sérgio Buarque de Holanda: o homem. In: *SBH: vida e obra.* São Paulo: Secretaria de Estado da Cultura, Arquivo do Estado, USP e Instituto de Estudos Brasileiros, 1988.

NOVAIS, F. *Portugal e o Brasil na crise do antigo sistema colonial, 1777–1808.* São Paulo: Hucitec, 1979.

____. As dimensões da independência. In: MOTA, C. G. (Org.) *Brasil em perspectiva.* Rio de Janeiro: Difel, 1973.

____. O Brasil nos quadros do antigo sistema colonial. In: MOTA, C. G. (Org.) *Brasil em perspectiva.* Rio de Janeiro: Difel, 1973.

____. (Dir.) *História da vida privada no Brasil.* São Paulo: Companhia das Letras. 3 vol., 1998.

____. De volta ao homem cordial. *Folha de S. Paulo.* Jornal de resenhas. 1º de maio de 1995.

ODALIA, N. *As formas do mesmo.* São Paulo: Unesp, 1997.

OLIVEIRA, F. A emergência do modo de produção de mercadorias: uma interpretação teórica da economia da República Velha no Brasil. In: *História geral da civilização brasileira,* tomo III, vol. 1. Rio de Janeiro: Bertrand Brasil, 1989.

____. Vanguarda do atraso e atraso da vanguarda: globalização e neoliberalismo na América Latina. *Revista Praga,* São Paulo nº 4, 1997.

FONTES E REFERÊNCIAS BIBLIOGRÁFICAS

OLIVEIRA, L. L. Questão nacional na Primeira República. In: LORENZO, H. C. de; COSTA, W. P. *A década de 20 e as origens do Brasil moderno*. São Paulo: Unesp/Fapesp, 1997.

___. As raízes da ordem, os intelectuais, a cultura e o Estado. In: A Revolução de 30. Seminário realizado pelo CPDOC da Fundação Getulio Vargas. Brasília: Universidade de Brasília, 1983.

PATARRA, N. L. Dinâmica populacional e urbanização no Brasil no período pós-30. In: *História geral da civilização brasileira*. tomo III, vol. 4. Rio de Janeiro: Difel, 1984.

PIVA L. G. *Ladrilhadores e semeadores*. São Paulo: 34, 2000.

PRADO, A. A. *Raízes do Brasil* e o modernismo. In: *Sérgio Buarque de Holanda e o Brasil*. São Paulo: Fundação Perseu Abramo, 1998.

___. *1922: Itinerário de uma falsa vanguarda: os dissidentes a semana e o integralismo*. São Paulo: Brasiliense, 1983. Coleção Primeiros Voos.

PRADO JR., C. *Formação do Brasil contemporâneo*. São Paulo: Brasiliense, 1945. Col. Grandes Estudos, vol. 1.

___. *História econômica do Brasil*. São Paulo, SP: Ed. Brasiliense, 1972.

PRADO, P. *Retrato do Brasil: ensaio sobre a tristeza brasileira*. Rio de Janeiro: José Olympio, 1962.

REIS, J. C. Sérgio Buarque de Holanda: A recusa das raízes ibéricas. *Revista Tempos Históricos*, Cascavel nº 1, vol. 1, março de 1999.

___. *As identidades do Brasil: de Varnhagen a FHC*. Rio de Janeiro: Fundação Getulio Vargas, 2000.

RICÚPERO, B. *Caio Prado Júnior e a nacionalização do marxismo no Brasil*. São Paulo: Ed. 34, 2000.

RODRIGUES. L. M. Prestes e a Aliança Nacional Libertadora. In: *História geral da civilização brasileira*, tomo III, vol. 3 Rio de Janeiro: Difel, 1983.

SAEZ, D. A. M. As lutas políticas do período 1930-1964. In: *História geral da civilização brasileira*, tomo III, vol. 3, Rio de Janeiro: Difel, 1983.

SANTOS, J. H. Condenados ao moderno. *Revista Memória e Vida Social*, Assis, vol. 1, 1999.

SCHWARZ, R. Pressupostos, salvo engano, da dialética da malandragem. In: *Que horas são?* São Paulo: Companhia das Letras, 1987.

____. As ideias fora do lugar. *Novos Estudos Cebrap*, São Paulo, nº 3, janeiro de 1973.

____. *Machado de Assis: um mestre na periferia do capitalismo*. São Paulo: Livraria Duas Cidades, 1990.

____. *Ao vencedor as batatas*. São Paulo: Livraria Duas Cidades, 1977.

SEVCENKO, N. *Literatura como missão*. São Paulo: Brasiliense, 1983.

SIMMEL, G. *A metrópole e a vida mental*. Chicago: University of Chicago Press, 1950.

SIMONSEN, R. C. *Evolução industrial do Brasil*. São Paulo: Fiesp, 1939.

SINGER, P. Interpretação do Brasil: uma experiência histórica de desenvolvimento. In: *História geral da civilização brasileira*, tomo III, vol. 4. Rio de Janeiro: Difel. 1984.

SOUZA, L. M. Aspectos da historiografia da cultura sobre o Brasil colonial. In: FREITAS, M. C. *Historiografia brasileira em perspectiva*. São Paulo: Contexto, 2001.

FONTES E REFERÊNCIAS BIBLIOGRÁFICAS

TAVARES, M. C. *Acumulação de capital e industrialização no Brasil.* Campinas: Unicamp. Instituto de Econômia, 1976.

TRINDADE, H. *Integralismo (o fascismo brasileiro na década de 30).* Rio de Janeiro: Difel, 1979.

URRESTI, M. F. *Cólon, El Almirante sin Rostro.* Madrid: Edaf, 2006.

VAINFAS, R. Sérgio Buarque de Holanda: historiador das representações mentais. In: *Sérgio Buarque de Holanda e o Brasil.* São Paulo: Fundação Perseu Abramo, 1998.

____. História das mentalidades e história cultural. In: *Domínios da história.* Rio de Janeiro: Campus, 1997.

VIANA, O. *Evolução do povo brasileiro.* Rio de Janeiro: José Olympio, 1956.

VIOTTI DA COSTA, E. *Escravidão nas áreas cafeeiras.* Tese de livre-docência. Universidade de São Paulo, São Paulo, 1964.

____. *Da senzala à colônia.* Rio de Janeiro: Difel, 1966.

WEBER, M. *Economia e sociedade,* vol. 1. Brasília: UnB. 1991.

____. *A ética protestante e o espírito do capitalismo.* São Paulo: Livraria Pioneira, 1967.

WEFFORT, F. C. Educação e política. In: FREIRE, P. *Educação como prática da liberdade.* Rio de Janeiro: Paz e Terra, 1983.

WIESENTHAL, S. *A missão secreta de Cristóvão Colombo: velas da esperança.* Rio de Janeiro: Civilização Brasileira, 1975.

ZIMLER, R. *O último cabalista de Lisboa.* Porto: Porto Editora, 1996.

NOTAS

1. Arrighi, G. *O longo século XX*. São Paulo: Unesp. 1996, p. 124.
2. Id., ibid.
3. Id., ibid, p. 126.
4. Prado Jr., C. *Formação do Brasil contemporâneo*. São Paulo: Publifolha. 2000, p. 11.
5. Id., Ibid, p. 9.
6. Furtado, C. *Formação econômica do Brasil*. São Paulo: Publifolha. 2000, p. 4.
7. Cf. Freyre, G. *Casa-grande & senzala*. São Paulo: Global. 2003.
8. Prado Jr., C. Op. cit. p. 5.
9. Cf. Braudel, F. *O Mediterrâneo e o mundo mediterrânico na época de Filipe II*. 2 vols. São Paulo: Martins Fontes. 1984.
10. Cf. Holanda, S. B. (Org.) "O Brasil no período dos Filipes" In: *História geral da civilização brasileira: A época colonial*. Tomo I, vol. 1. Rio de Janeiro: Difel, p. 178.
11. Holanda, S. B. *Raízes do Brasil*. São Paulo: Companhia das Letras. 1995, p. 98.
12. Cf. Holanda, S. B. *Caminhos e fronteiras*. São Paulo: Companhia das Letras. 1994.
13. Cf. Ribeiro, D. *O povo brasileiro*. São Paulo: Companhia das Letras. 1995.
14. Prado Jr., C. *História econômica do Brasil*. São Paulo: Brasiliense. 1980, p. 31.
15. Id., ibid, p. 36.

16. Cf. Mello, E. C. *O negócio do Brasil*. Rio de Janeiro: Topbooks. 1998.

17. Prado Jr., C. Op. cit., p. 88.

18. Holanda, S. B. Op. cit., p. 74.

19. Ribeiro, D. Op. cit., p. 448.

20. Souza, M. C. C. "O processo político-partidário na Primeira República". In: Mota, C. G. (Org.) *Brasil em perspectiva*. Rio de Janeiro: Difel. 1981, p. 174.

21. Id., ibid.

22. Id., ibid.

23. Furtado, C. Op. cit., p. 200.

24. Cf. Prado Jr., C. Op. cit., p. 170.

25. Faoro, R. *Os donos do poder*. São Paulo: Publifolha. 2000, p. 369.

26. Fausto, B. *A Revolução de 1930: historiografia e história*. São Paulo: Brasiliense. 1972, p. 182.

27. Cf. Costa, E. V. *Da senzala à colônia*. Rio de Janeiro: Difel, 1966.

28. Ortiz, R. *A moderna tradição brasileira*. São Paulo: Brasiliense. 1988, p. 17.

29. Cf. Holanda, S. B. *Visão do paraíso*. São Paulo: Brasiliense. 1994.

30. Novais, F.; Mello, A. M. C. "Capitalismo tardio e sociabilidade moderna." In: *História da vida privada no Brasil*. São Paulo: Companhia. das Letras. 1998, p. 645.

31. Id., ibid, p. 633.

32. AI-1 (Ato Institucional Nº 1). *Diário Oficial da União*. 9 de abril de 1964.

33. AI-5 (Ato Institucional Nº 5). *Diário Oficial da União*. 13 de dezembro de 1968.

34. Arruda, J. J.; Pilletti, N. *Toda a história*. São Paulo: Ática. 1997.

NOTAS

35. Fausto, B. *História concisa do Brasil.* São Paulo: Ática. 2001, p. 290.

36. *Constituição de 1988.* Brasília: 5 de outubro de 1988.

37. Faoro, R. Op. cit., p. 376.

38. *Jornal Gazeta Mercantil,* 17/3/1990.

39. Cf. Hobbes, T. *Leviathã.* São Paulo: Martin Claret. 2006.

40. Rousseau, J.- J. *O contrato social.* São Paulo: Cultrix. s/d, p. 30.

ÍNDICE ONOMÁSTICO

A

Afonso, Paulo, 119
África, 16, 20, 21, 26, 32, 33, 48, 53
Agostinho, Santo, 11
AI-5, 137, 139, 184
Alexandria, 12, 14
Al-Malik, 42
Alves, Rodrigues, 103
Amado, Jorge, 118
América, 9, 14, 17, 23, 24, 27, 29, 33, 34, 35, 51, 60, 61, 167, 178
Amsterdã, 37
Andrade, Auro de Moura, 131
Angola, 40
ANL (Aliança Nacional Libertadora), 111, 112, 114, 115
Aparelhamento do Estado, 105, 106, 166
Aragão, Fernando de, 44
Arrighi, Giovanni, 12
Assembleia Constituinte, 68, 99, 100, 110, 116, 144
Asteca, 35
Atlântico Sul, 15, 16, 17, 76, 171
Aurora Fluminense, 71

B

Bacharel, 28
Bahia, 35, 37, 41, 45, 48, 85, 119

Balaiada, 74
Baldaia, Afonso Gonçalves, 15, 16
Banco Nacional de Desenvolvimento Econômico (BNDE), 119
Bandeiras, 5, 50, 51
Barlaeus, 49
Batalha de Waterloo, 65
Batista, Eike, 166
Beckman, 54
Benguela, 40
Bernardes, Arthur, 103
Bill Aberdeen, 76
Bonifácio, José, 63, 68
Bragança, Gastão de Orléans e, 83
Brasiliense, Américo, 100
Brás, Venceslau, 103
Braudel, 46, 183
Brizola, Leonel, 128, 143

C

Cabanagem, 74
Cabinda, 40
cabo Bojador, 15
Cabral, Pedro Álvares, 26, 27
Cairo, 22
Calecute, 20
Câmara dos Deputados, 127, 149
Campo de Santana, 94

188 A HISTÓRIA DO BRASIL PARA QUEM TEM PRESSA

Cananor, 20
Caneca, Frei, 63, 70
Canudos, 102, 103
Capitanias Hereditárias, 5, 30, 31, 34
Caramuru, 28
Cardoso, Fernando Henrique (FHC), 151, 154, 156, 157
Castela, 24, 25, 44, 45
Castela, Isabel de, 25, 44, 45
Caxias, Duque de, 74, 77, 96, 195, 197
Central do Brasil, 130, 143
Ceuta, 5, 13, 14, 15
China, 15, 17, 29, 127, 177
Cochrane, 70
Coelho, Gonçalo, 30
Colombo, Cristóvão, 24, 181
Colônia de Exploração, 5, 33
Companhia das Índias Orientais, 48
Companhias das Índias Ocidentais, 48
Companhias de Comércio, 54
Confederação do Equador, 6, 69
Congo, 40
Congresso Nacional, 113, 138, 143, 145, 159
Conselheiro, Antônio, 102
Conselho Ultramarino, 53
Consolidação das Leis do Trabalho (CLT), 115
Constant, Benjamin, 97, 197
Constantinopla, 5, 9, 12, 17, 19
Construtora OAS, 165
Construtora Odebrecht, 165
Contrarreforma, 5, 44, 49
Correia, Camargo, 165

Costa da Mina, 40
Costa, Lúcio, 124
Covilhã, Pêro da, 20, 21
CPI (Comissão Parlamentar de Inquérito), 149
Crise de 1929, 59, 131
Cruzadas, 12

D

d'Eu, Conde, 82, 83, 85, 100, 197
D. Henrique, 15
Dias, Bartolomeu, 20, 21, 22, 24
Dinastia de Avis, 13
DIP (Departamento de Imprensa e Propaganda), 114
D. João, 5, 13, 14, 19, 20, 21, 22, 23, 24, 25, 26, 28, 41, 55, 60, 65, 70, 72
D. João I, 13, 14
D. João II, 5, 19, 20, 21, 22, 23, 24, 25, 26, 28, 41
D. João III, 41
D. João IV, 55
D. Manuel I, 25, 45
D. Maria I, 65
D. Pedro I, 6, 68, 69, 70, 71, 72, 73, 74, 195, 197
D. Sebastião, 5, 41, 42

E

Eanes, Gil, 15
Eckhout, Albert, 49
Egito, 12, 14
Escravidão, 40, 41, 71, 72, 75, 78, 80, 83, 84, 85, 87, 91, 92, 93, 98, 134, 195

ÍNDICE ONOMÁSTICO

Espanha, 5, 22, 24, 25, 35, 41, 42, 43, 44, 45, 46, 47, 53, 57, 60
Estado Novo, 6, 113, 114, 116, 130, 153, 173
Exposição Universal, 89

F

Federalismo, 89, 102, 105
Fifa, 159, 160
Figueiredo, Afonso Celso de Assis, 94
Figueiredo, João, 136, 142
Filho, Café, 121
Filho, Olympio Mourão, 130
Filipe II, 5, 41, 42, 43, 46, 47, 48, 183
Florença, 12, 17, 19
Fonseca, Hermes da, 103
França, 26, 53, 89
Franco, Itamar, 149, 151
Freire, Paulo, 130
Freyre, Gilberto, 37
Fugger, Jacob, 29
Furnas, 119
Furtado, Celso, 34, 108

G

Gama, Vasco da, 22
Geisel, Ernesto, 136
Gênova, 12, 17, 19
Goa, 20
Goiás, 41
Gonçalves, Antão, 16
Goulart (Jango), João, 6, 120, 121, 125, 126, 127, 128, 129, 130, 131, 137, 142, 158

Governo-Geral, 5, 35, 36, 48
Governo Provisório, 6, 99, 109
Guerra do Paraguai, 6, 82, 84, 96, 195
Guerra dos Farrapos, 74
Guevara, Che, 125, 126

H

Haiti, 169
História geral do Brasil, 80
Holanda, 36, 37, 38, 44, 45, 46, 48, 51, 53, 55, 81, 92, 171, 173, 176, 178, 179, 181, 183, 184
Holanda, Sérgio Buarque de, 51, 81, 92, 171, 173, 176, 178, 179, 181
Hormuz, 20

I

Ilha Fiscal, 94
Impeachment, 147, 149, 150
Império Otomano, 13, 15
Inca, 35
Inconfidência Mineira, 5, 57, 58, 60
Independência dos Estados Unidos, 57
Independência no Brasil, 60
Índias, 13, 14, 20, 21, 23, 24, 25, 26, 34, 35, 48
Infante Pedro, 14, 15
Inglaterra, 13, 26, 36, 53, 57, 60, 61, 62, 63, 64, 65, 66, 68, 72, 75, 76, 77, 78
Instituto Histórico e Geográfico Brasileiro (IHGB), 6, 80

Invasão Francesa, 35
Invasão Holandesa, 5, 47
Isabel, Princesa, 6, 45, 82, 83, 84,
88, 89, 91, 92, 100, 196, 197
Istambul, 12

J

JBS, 165
João, Preste, 15, 22, 28
Judeus sefarditas, 37, 38, 44, 47,
48, 55
Júnior, Caio Prado, 29, 179
Junta Francesa para a
Emancipação, 83

K

Khan, Gêngis, 42
Kubitschek, Juscelino, 121, 122

L

Laissez-faire, 106
Latifúndio, 16, 59, 88, 93
Lei Áurea, 90, 92, 94
Lei do Ventre Livre, 6, 84, 92
Lei Eusébio de Queirós, 6, 78, 81
Líbia, 12
Lima, 51, 70, 71, 74
Linhares, José, 117
Lisboa, 13, 16, 20, 26, 30, 47, 55,
59, 61, 65, 171, 181
Luanda, 40
Luís, Washington, 103, 108, 109,
130

M

Maia, 35
Maquiavel, 20, 42
Maranhão, 54, 62
Marcgrave, George, 49
Marchionni, Bartolomeu, 29
Marechal Castelo Branco, 136
Marechal Deodoro da Fonseca,
94, 95
Marechal Floriano Peixoto, 94
Marighela, Carlos, 118
Marrocos, 13, 42
Martins, Gaspar Silveira, 97
Mato Grosso, 36, 41
Mauá, Barão de, 6, 77, 78, 79,
195, 197
Médici, Emílio, 136
Mello, Fernando Collor de, 146,
149, 150
Metrópole, 53, 54, 56, 57, 66,
173, 180
México, 51
Ministro Ouro Preto, 96
Moçambique, 40
Mohammed, Mulei, 42
Monções, 5, 51, 175
Monocultura, 16, 59, 77, 132
Montoro, Franco, 143
Moraes, Prudente de, 100, 101,
102, 103
Moreira, Delfim, 103

N

Napoleão, 60, 61, 65
Nassau, Maurício de, 48, 49, 50,
55

ÍNDICE ONOMÁSTICO

Neves, Aécio, 168
Neves, Tancredo, 128, 143, 144
Niemeyer, Oscar, 124
Nieuhoff, 49
Noronha, Fernando de, 29, 30
Nova York, 107, 136

O

oceano Atlântico, 13, 24
Oliveira, Armando Sales de, 110
Oliveira, João Alfredo Correia de, 92
Os Sertões, 103

P

PCB (Partido Comunista Brasileiro), 117, 118
PDT, 143
Peçanha, Nilo, 103
Pena, Afonso, 103
península Ibérica, 42
Pereira, Duarte Coelho, 30
Período Regencial, 6, 73
Pessoa, Epitácio, 103
Pessoa, João, 109
Petrobras, 119, 123, 166
PIB, 141
Piso, Willem, 49, 194
Plano Cohen, 113, 130
PMDB, 143
Porto Alegre, 130, 131, 171, 172, 173, 178
Portugal, 5, 13, 14, 15, 16, 19, 20, 22, 25, 26, 28, 29, 32, 33, 34, 35, 36, 37, 38, 39, 40, 41, 42, 43, 44, 45, 46, 47, 48, 51, 52, 53, 55, 56, 57, 58, 60, 61, 62, 63, 64, 65, 66, 70, 71, 72, 178
Post, Frans, 49
Potosí, 5, 25, 34, 35, 36, 46
Praça da Sé, 143
Prestes, Júlio, 103, 109
Prestes, Luís Carlos, 112, 118
Principado de Mônaco, 169
PRP (Partido de Representação Popular), 117
PSD (Partido Social Democrático), 117
PSP (Partido Social Progressista), 117
PTB (Partido Trabalhista Brasileiro), 117
PT (Partido dos Trabalhadores), 143

Q

Quadros, Jânio, 125, 126, 127, 131
Queirós, Eusébio de, 6, 78, 81

R

Ramalho, João, 28
Reforma Protestante, 14, 44
Reino Unido de Portugal e Algarves, 65
República, 6, 63, 89, 93, 95, 96, 97, 98, 99, 100, 101, 102, 103, 105, 106, 107, 108, 109, 110, 111, 116, 122, 128, 137, 138, 139, 143, 144, 146, 151, 154, 157, 164, 172, 173, 175, 178, 179, 184, 197

A HISTÓRIA DO BRASIL PARA QUEM TEM PRESSA

Restauração portuguesa, 50, 53, 55
Revolução de 1930, 6, 103, 107, 109, 114, 116, 131, 132, 184
Revolução Francesa, 57, 58
Revolução Liberal, 65
Revolução Pernambucana, 5, 63, 69
Revolução Russa, 112
Ribeiro, Darcy, 52, 86
Rio Grande do Sul, 36, 127
Rotschild, 66
Roussef, Dilma, 10, 159, 168

S

Sabinada, 74
Sales, Campos, 103
Salvador, 35, 50, 51
Salvador, Frei Vicente de, 51
Santo Ofício, 44, 55
Santos, 30, 58, 120
Santos, Filipe dos, 58
São Domingos, 51
São Jorge dos Erasmos, 30
São Marcos, 51
São Vicente, 30, 37
Saraiva, José Antônio, 97
Sarney, José, 143
Segundo Reinado, 6, 75, 77
Silva, Antônio Carlos de Andrada e, 63
Silva, Costa e, 136
Silva, Duarte, 55
Silva, Francisco de Lima e, 70, 71
Silva, Luiz Inácio Lula da, 6, 146, 148, 151, 156, 157, 158
sistema colonial, 57, 58, 132, 178

Sofala, 20, 22
Souza, Irineu Evangelista de, 77
Souza, Martim Afonso de, 30
Suaquém, 20

T

Tancredo Neves, 128, 143, 144
Teixeira, Tristão Vaz, 15
Tibiriçá, Jorge, 100
Tiradentes, 58
trabalho escravo, 16, 37, 38, 40, 41, 59, 75, 88, 115, 132
Tratado de Methuem, 57
Tríplice Aliança, 82
Trípoli, 12
TSE (Tribunal Superior Eleitoral), 165
Turquia, 12

U

UDN (União Democrática Nacional), 117
União Ibérica, 5, 38, 42, 43, 45, 46, 47, 49, 51, 52, 53, 54, 57
União Soviética, 112, 121, 127
UTC Engenharia, 165

V

Vargas, Getúlio, 6, 109, 110, 111, 115, 118, 123, 129
Varnhagen, Francisco Adolfo, 80
Veiga, Evaristo da, 71
Veneza, 12, 17, 19
Vespúcio, Américo, 27
Vieira, Antônio, 54

ÍNDICE ONOMÁSTICO

Visconde de Ouro Preto, 94

Viseu, Duque de, 20

W

Weber, Max, 44, 119, 173

Z

Zarco, João Gonçalves, 15

~ COLEÇÃO HISTÓRIA ~
PARA QUEM TEM PRESSA

A HISTÓRIA DO MUNDO
PARA QUEM TEM PRESSA
MAIS DE 5 MIL ANOS DE HISTÓRIA RESUMIDOS EM 200 PÁGINAS!

A HISTÓRIA DO BRASIL
PARA QUEM TEM PRESSA
DOS BASTIDORES DO DESCOBRIMENTO À CRISE DE 2015 EM 200 PÁGINAS!

A HISTÓRIA DA MITOLOGIA PARA QUEM TEM PRESSA

DO OLHO DE HÓRUS AO MINOTAURO EM APENAS 200 PÁGINAS!

A HISTÓRIA DA CIÊNCIA PARA QUEM TEM PRESSA

DE GALILEU A STEPHEN HAWKING EM APENAS 200 PÁGINAS!

A HISTÓRIA DO
SÉCULO 20
PARA QUEM TEM PRESSA

TUDO SOBRE OS 100 ANOS QUE MUDARAM A HUMANIDADE EM 200 PÁGINAS!

Papel: Offset 75g
Tipo: Adobe Caslon
www.editoravalentina.com.br